Comment j'ai sous-traité ma vie

Nicolas Santolaria

Comment
j'ai sous-traité
ma vie

ALLARY ÉDITIONS
RUE D'HAUTEVILLE, PARIS Xᵉ

« Il est impossible de faire la différence entre une technologie avancée et la magie. »

Arthur C. Clarke

« L'Amour n'était pour moi qu'un croquis / J'en imaginais l'âme et les contours / Sans limite, pas même la géographie / Juste un éclair éblouissant en plein jour. »

Extrait de « Croquis de l'Amour », poème rédigé par un sous-traitant de 5euros.com

À Ilona, Ludovic et Marius

INTRODUCTION

Fille du robot mixeur, de l'accomplissement de soi et des énergies fossiles, la modernité était censée nous libérer. En réalité, à y regarder de plus près, je m'aperçois que ma vie est devenue un enchaînement ininterrompu de microsituations à gérer, amoncellement de tâches sans intérêt que je dois pourtant affronter au milieu d'un halo de particules fines. C'est comme si j'étais devenu, au fil des années, un Sisyphe pas très musclé, poussant non pas un, mais des dizaines de minirochers sur une pente à 17%. Pas super-lourds, les rochers, mais suffisamment nombreux pour que leur gestion finisse par accaparer tout mon temps, encombrant le quotidien d'une myriade de petits supplices sans noblesse apparente : me lever péniblement pour m'apercevoir, dans un demi-brouillard, qu'il n'y a plus de dentifrice et qu'il faut aller en acheter d'urgence à la supérette du coin, regagner mon espace de travail où je gèle en hiver et cuis en été, bref, chez moi, sous les toits en zinc de Paris, car je suis journaliste freelance et mon bureau c'est ma chambre, me dire bonjour dans la glace de l'ascenseur car je suis mon seul collègue et il est important de bien s'entendre, préparer des pâtes pour la cinquième fois de la semaine en faisant un saut chez le primeur, histoire de les agrémenter d'un peu de basilic frais, perdre une demi-journée à décrypter une interview, suivre en parallèle des cours à la fac pour tenter de me changer les idées et d'actualiser mon capital culturel de quadra menacé par l'obsolescence, porter des packs d'eau qui cisaillent la paume des mains aussi efficacement que des lasers, aller retirer un colis à la poste, réfléchir à la manière dont je pourrais participer moi aussi à l'hédonisme sexuel mondialisé sans mettre mon couple en danger, passer chez le caviste pour choisir un bon vin et me sentir soudain noyé sous les centaines de références allant du picrate chilien au nectar sud-africain, rapporter à la médiathèque les livres que je n'ai pas eu le temps de lire et les disques que je n'ai pas eu le loisir d'écouter, partir en quête d'une location Airbnb dans l'idée de pouvoir poster sur mon compte Instagram, d'ici quelques semaines, des photos de doigts de pieds sur fond de mer Baltique, oublier très involontairement d'arroser les plantes, foncer en Vélib pour aller récupérer les enfants et leur mettre un dessin animé (*Rio 2* ou *Kung Fu Panda 3*?) en me disant que je suis décidément un mauvais père, répondre à des tonnes de sollicitations professionnelles absolument sans intérêt : «Désolé, mais j'ai eu une mauvaise grippe et je n'ai pas pu prendre connaissance de votre dossier de presse sur l'avenir de la pantoufle nivernaise.» Puis, sans avoir eu le temps de souffler, affronter de nouveaux impératifs : réfléchir aux cadeaux de Noël car une pub automnale aperçue dans le métro m'aura téléporté en hiver, tenter péniblement de réaliser une recette approximative de tarte à la courgette en suivant les instructions du site Marmiton, redescendre pour aller acheter à l'épicerie le gruyère râpé oublié au supermarché, passer l'aspirateur pour éliminer la pluie de miettes que les enfants auront forcément fait tomber sur le parquet, culpabiliser parce que je n'ai toujours pas rappelé cet ami qui m'a relancé la semaine dernière en vue d'un très hypothétique apéro plus compliqué à organiser qu'un sommet du G20, vérifier sur mon fil d'actu qu'il n'y a pas eu un nouvel attentat, reporter le projet d'aller voir un film pour m'éviter d'avoir à solliciter une baby-sitter, prendre quelques minutes aux toilettes pour lire un dossier sur la déconnexion, constater avec dépit que la boîte de préservatifs est vide, embrasser chastement ma compagne et m'effondrer sur le lit en abandonnant le vague projet de regarder une série car il serait bien trop épuisant d'avoir encore à choisir entre *The Big Bang Theory* et *How I Meet Your Mother*, m'endormir enfin à côté d'une pile de livres poussiéreuse où culmine *La Métamorphose* de Kafka, en espérant que ces quelques dizaines de pages infuseront sans effort pendant mon sommeil. Faire un rêve angoissant où, insecte monstrueux, je n'arrête pas de travailler sans rien accomplir d'intéressant.

Pour qui trouve le temps d'interrompre un instant cette course folle, tel un rat qui arrêterait soudain de faire tourner sa roue, une évidence se fait jour : cette litanie des tâches ingrates est totalement absurde, comme est absurde l'incroyable dépense d'énergie que nécessite leur accomplissement. Oui, absurde, car un jour, un jour que l'on n'a pas choisi, on meurt. Et, au moment de trépasser, quand le film de sa vie repasse en accéléré – si tant est que cela se déroule de la sorte –, on risque de se revoir un peu trop souvent en train de poireauter à la caisse du Monoprix ou à quatre pattes sur la moquette, essayant de retrouver sans succès la petite sœur d'une chaussette orpheline. On aimerait pourtant que de grands moments de vie, porteurs d'absolu, parsèment notre existence comme autant de lampions étincelants. On aimerait se voir, tel Ernest Hemingway, posant avec un thon luisant à la main et un cigare au coin des lèvres, le visage hâlé et la moue extatique qui semblent dire : Je suis sûr d'avoir essoré jusqu'à la dernière goutte de cette sève miraculeuse promise par l'existence. Mais non ! Au lieu de ça, la plupart d'entre nous passent leurs journées à dilapider leur temps comme s'ils disposaient d'un stock infini de minutes à vivre.

Un jour, dans le métro parisien, parcourant les pages d'un journal gratuit, je suis tombé sur un article intitulé «Toute sa vie programmée». Il relatait le quotidien d'un informaticien américain qui avait automatisé l'ensemble des tâches professionnelles dont la réalisation réclamait plus de 90 secondes. Quand son programme enregistrait de l'activité sur son ordinateur après 21 heures, un message était mécaniquement envoyé à sa femme sous forme de SMS : «Je reste plus tard au boulot.» Ce salarié prévoyant avait également hacké la machine à café pour que celle-ci lui prépare automatiquement son *latte*, dix-sept secondes après avoir détecté son arrivée au bureau. Même si je suis incapable d'écrire des lignes de code pour plier l'environnement technique à ma volonté et qu'il est de toute façon peu probable que je réussisse un jour à pirater ma cafetière italienne (la pauvre n'a même pas de port USB), je n'en reste pas moins candidat à cette folle aventure consistant à envisager l'existence comme une épure enfin délestée de ses moments les moins captivants.

Pourquoi ne pas pousser encore plus loin cette logique en sous-traitant la totalité des dimensions les plus ingrates de mon quotidien, pour me concentrer sur les moments nobles, les instants de plaisir délicieux, et finir ainsi détaché des contingences, tutoyant le pur essentiel ?

Par bonheur, l'époque semble avoir entendu ma complainte : la conciergerie 2.0, réservée dans les années 2000 aux franges les plus fortunées de la société, se décline aujourd'hui en version low cost dans tous les domaines. Annonçant ce mouvement, la livraison des courses à domicile nous a transformés en aristocrates de canapés, laissant à de zélés porteurs le soin de suer en remontant les kilos de victuailles dans les étages.

Dans cette grande foire à la délégation des tâches, des cyber-valets prennent désormais en charge nos tracasseries de tous les jours, des applis rédigent les textos de rupture à notre place et des plateformes permettent de déléguer une grande partie de notre travail à des exécutants au moins aussi qualifiés que nous. Transporté par ce constat enchanteur, j'ai donc décidé de voir jusqu'à quel point il était possible d'alléger mon existence. Mon éditeur m'a gentiment remis une enveloppe pour couvrir mes frais, avec la mission harassante de devenir plusieurs mois durant l'auteur le plus feignant de la galaxie littéraire. À charge pour moi de découvrir si une forme d'illumination se trouvait au bout du chemin.

Mais l'expérience que je m'apprête à vivre, oscillant entre efforts diminués et glande augmentée, n'est pas sans risques. Ma compagne le sait : converti aux délices de l'automatisme et de la délégation tous azimuts, je n'accepterai peut-être plus jamais de passer l'aspirateur. Quant à mes enfants, ils risquent d'avoir d'ici quelques semaines, sous leurs yeux, un modèle paternel aux comportements déroutants, bien loin de ce chantre de l'opiniâtreté qui passait son temps drapé dans la valeur travail. Moi qui, tel John Wayne, réussissais jusque-là à affronter à peu près tout et n'importe quoi avec un panache adaptatif sans limites, je suis désormais résolu à m'en remettre au premier objet connecté venu pour allumer un feu de bois sans avoir à bouger de mon rocking-chair. C'est donc avec l'état d'esprit fiévreux d'un explorateur en quête de nouvelles frontières que j'aborde cette périlleuse odyssée, aux confins du dépouillement de soi et de l'indolence assistée.

CHAPITRE 1

Comment je m'en suis remis à une puce RFID parlant allemand pour qu'elle trie mes chaussettes à ma place

Services testés : Chaussetteonline.fr, Blacksocks.com

Au panthéon des galères domestiques, gérer ses chaussettes occupe une place de choix. Surtout lorsqu'elles sont unicolores et de modèles quasi similaires bien que marginalement différents. En ce qui me concerne, ces chaussettes de couleur sombre sont entassées dans un bac en osier, profond, vortex glouton aspirant tout ce qui passe à proximité de son champ de force. À chaque lessive, je ne peux que constater l'étendue des dégâts : le syndrome dit de «la chaussette orpheline» va en s'accentuant, sans raison apparente. Comme dans la série *The Leftlovers*, où 2 % de la population disparaît mystérieusement du jour au lendemain, c'est une proportion non négligeable de ces accessoires indispensables au confort du pied qui s'évapore sans laisser de traces. Par cette évanescence si singulière, les chaussettes excèdent le registre du simple vêtement pour basculer dans l'allégorie vaporeuse, figurant ce désir de confort contemporain dont la matérialisation épiphanique s'échappe sans cesse, et se mue en un embarras gestionnaire récurrent.

Ayant pour ambition de rationaliser ce problème, Samy Liechti, fondateur d'un site qui commercialise des chaussettes par abonnement, a effectué un savant calcul à propos du temps perdu à gérer ces tracasseries chroniques. Si cette démonstration arithmétique n'a pas de réelle valeur scientifique, elle mérite qu'on s'y attarde, ne serait-ce que pour la promesse de maximisation existentielle qu'elle véhicule : « L'individu moyen – sans abonnement – passe 732 minutes ou 12,2 heures par an à se dépêtrer de ses problèmes de chaussettes. Prenez votre espérance de vie (sujet européen, de sexe masculin, n'appartenant à aucun groupe à risque particulier = 79 ans), soustrayez votre âge actuel et multipliez le reste par 12,2 heures. Statistiquement, un homme de 40 ans gagne ainsi 19,8 jours au cours des 39 années qui lui restent en souscrivant un abonnement. » Presque vingt jours de temps libre supplémentaire rien qu'en déléguant à un prestataire extérieur l'approvisionnement en chaussettes, avouez que cela fait réfléchir. D'autant que cet écosystème vestimentaire, lorsqu'il est mal maîtrisé, s'accompagne d'un risque de violente disqualification sociale. Dans un contexte formel, avoir à enlever ses chaussures pour s'apercevoir soudain qu'un orteil dépasse ostensiblement de sa gangue est, pour le gentleman des villes, une situation parmi les plus infamantes. Maintenant que des outils performants existent, je décide donc, afin d'éloigner ce risque de seppuku vestimentaire, de prendre le problème à bras-le-corps et de m'en remettre à la plateforme internet chaussetteonline.fr. Objectif : renouveler mon stock sans avoir à lever le petit doigt de pied. Après avoir cliqué sur l'onglet «Mon abonnement. Fini le tiroir vide!», j'opte pour un contrat de trois mois et un modèle de chaussette mi-mollet dénommé «La Classique». Elle me sera livrée mensuellement par bouquet de trois paires. Mais avant de sentir mes épaules déchargées de ce poids gestionnaire et d'éprouver enfin le sentiment quasi édénique de l'insouciance pédestre retrouvée, je dois encore sélectionner les couleurs, opération qui me prend un certain temps. Le nuancier est vaste et chaque tonalité pourrait bien se révéler une forme de choix existentiel moins anodin qu'il n'y paraît. Les magazines masculins ne cessent en effet de nous répéter que les vêtements sont aussi une forme de message adressé à soi-même et aux autres, ce que me confirme le site dans une sous-partie didactique intitulée «Conseils pour bien choisir une paire de chaussettes». Invité à opérer une profonde révolution dans le cœur conformiste de ma garde-robe en y faisant entrer un peu de couleur, je romps d'abord prudemment avec mes habitudes (le noir) et je choisis le modèle «Bonaparte, bleu marine», puis, timidement, j'avance en direction de l'«Émeraude, vert sapin». Jusqu'à ce que je commence à m'embourber dans la multiplicité des choix et des injonctions contradictoires (sécurité de l'abonnement *versus* audace colorimétrique, affirmation de soi *versus* automatisation de l'existence). Le doute, jusque-là absent de ce grand moment de rébellion vestimentaire, commence à s'immiscer en moi. Et si des tonalités inappropriées me faisaient passer non pas pour un Che Guevara du style mais tout simplement pour un clown échappé d'une revue en ville? Au moment de désigner la dernière paire de chaussettes du premier tiercé, je me retrouve perdu et je comprends alors une chose importante : déléguer, ce n'est pas simplement faire réaliser par d'autres des tâches qu'on accomplissait auparavant soi-même, mais les définir précisément et les séquencer en amont, pour qu'elles puissent ensuite être mises en œuvre et réitérées par un tiers. Déléguer, c'est commencer par s'épuiser à modéliser une partie de sa vie afin de la rendre reproductible, avec l'espoir de s'en épargner la charge sur le long terme. Finalement, dans un dernier mouvement d'humeur, j'élimine la «Rainier, rouge coquelicot» (trop tape-à-l'œil, trop monégasque) et je me rabats sur une paire de «Rubis, rouge foncé» (plus discrètement étincelantes et un poil séditieuses). Elles feraient une pochette idéale sur une veste de Jean-Luc Mélenchon. J'ai soudain le sentiment grisant d'exercer un pouvoir sans limites sur mon bac à chaussettes. L'ordre est de retour en cette terre d'anarchie et ces accessoires insoumis vont enfin marcher au pas. Bénéficiant des promos alléchantes affichées par le site, j'ai la chance de voir le prix de ma commande trimestrielle chuter de 34 %, passant de 135 euros à 89 euros – ce qui n'est tout de même pas donné. La tranquillité est peut-être à ce prix-là, me dis-je, en tapant les coordonnées de ma carte Visa. Je note que pour vendre des chaussettes au prix du foie gras, il est important de tisser un habile *storytelling* qui fera passer l'objet désiré du statut de produit de consommation courante à celui de denrée iconique. Par l'effet contaminant de ce simple achat, je suis alors censé rejoindre la grande lignée des lords écossais, dont les pieds velus ont toujours eu droit aux meilleurs égards.

Quelques jours plus tard, mon voisin du second, ce sympathique retraité qui réceptionne mes paquets en mon absence, me laisse un mot dans la boîte aux lettres. Calligraphié avec soin comme s'il s'agissait de l'Appel du 18 juin, le message me prévient que la première vague de chaussettes vient enfin de débarquer. Malheureusement, l'assortiment est présenté sans le moindre soin, nageant en désordre dans le grand sachet en plastique qui a servi à l'envoi. Une partie du charme est immédiatement rompue qui voulait me faire croire à une forme de relation haut de gamme, raffinée, sur mesure. Mais je ne vais pas mégoter, je préfère me concentrer sur les aspects positifs : cette livraison pose la première pierre d'une vaste stratégie de reconquête effective, dont la maxime pourrait s'inspirer de la célèbre phrase de Lagardère dans *Le Bossu* : «Si tu ne viens pas à la chaussette, la chaussette ira à toi!» Cet enthousiasme chevaleresque va malheureusement se révéler de courte durée. Les semaines passant, je m'inquiète de n'avoir reçu aucune nouvelle de mon abonnement. Si je ne vais pas à la chaussette, la chaussette a manifestement oublié de venir à moi. Ce dispositif, qui devait m'apporter une paix durable de l'esprit, commence déjà à me causer de menus soucis. Au lieu de la deuxième livraison prévue, ce sont des dizaines de spams qui affluent dans ma messagerie électronique, donnant le sentiment que chaussetteonline.fr est engagé dans un processus de promotion ininterrompu : «Encore quelques jours pour renouveler votre tiroir à chaussettes ?!», «Jusqu'à – 55 % de remise pendant nos soldes», «Prolongation de 48 heures ! Profitez de notre vente privée». Si je répondais positivement à toutes ces sollicitations, je finirais enseveli sous un tsunami en fil d'Écosse. Toujours sans nouvelles de mes chaussettes, je me décide à envoyer un message de protestation, en utilisant le formulaire de contact «Commande non reçue». Le lendemain, une réponse laconique s'affiche dans ma messagerie électronique : «Monsieur, Nous faisons le point sur votre abonnement et revenons vers vous lundi. Cordialement, Le service clients.» Quatre jours pour me donner des nouvelles de mes chaussettes ? Ça ressemble à un complot pour me transformer en adepte des tongs ! J'apprendrai par la suite, via un second message aussi sec qu'une biscotte, que la commande MGGNN-DZMH (la mienne, donc) est en «cours d'expédition». Pas un mot d'excuse, pas le début d'un geste commercial, rien.

Quelques semaines plus tard, rebelote. Ma troisième livraison n'est toujours pas arrivée et ma boîte aux lettres crie famine. Déjà un mois de retard sur le planning initialement prévu. Cette fois, je trempe vigoureusement ma plume dans la plaie de cette irritante relation commerciale et, avec des accents de pamphlétaire du prêt-à-porter, tente de dire tous mes espoirs déçus.

> «Cher Chaussetteonline.fr,
> Ma troisième livraison de chaussettes, que j'aurais dû réceptionner depuis longtemps, ne m'est toujours pas parvenue. Quel amer constat de s'apercevoir que, sur le front de la chaussette, non, décidément, les lendemains ne chantent pas. Après ma précédente relance qui aurait dû vous conduire à plus de vigilance et de professionnalisme, je me rends compte, avec grand regret, que votre service ne s'améliore pas. En tout cas, il est très loin de tenir toutes les belles promesses marketing que vous affichez sur le site. Au lieu de me sentir débarrassé d'un poids existentiel non négligeable, c'est tout le contraire qui se passe. Je me retrouve accaparé par la gestion de mes chaussettes au point que cela en devient obsessionnel. De plus, lors de

la précédente régularisation, je n'ai même pas reçu un mot d'excuse, rien. Les chaussettes me sont parvenues comme ça, sans le début d'un acte de contrition de votre part, au mépris des règles élémentaires de politesse. Je n'ose même pas exiger de geste commercial car il risque, chez vous, de se résumer à un doigt d'honneur. Est-il possible d'être remboursé et d'annuler le dernier envoi car votre service ne me convient pas ? Mes pieds ne méritent pas un tel mépris ! Un client mécontent. »

Je clique sur « Envoyer ». Dans l'attente d'une réponse, les jours qui suivent s'étirent comme un fil d'élasthanne. Peut-être trop véhément, mon mail de protestation n'a suscité qu'un lourd silence. Je le renvoie donc, dans une version un peu plus apaisée, car un désaccord commercial ne mérite sans doute pas l'emportement qui fut le mien lorsque j'ai réagi à chaud. Et là, ô joie, je reçois quelques jours plus tard un courrier plein d'espoir : « Monsieur, le troisième et dernier envoi de votre commande part ce jour en Colissimo. Pour nous excuser du retard, nous y avons joint une paire supplémentaire de notre collection. Vous en souhaitant par avance bonne réception. Cordialement. Le service clients. »

Je décide maintenant de m'attaquer à un dossier non moins épineux, celui de la gestion automatisée de mon stock de chaussettes unicolores. M'étant porté acquéreur d'une technologie futuriste, j'ai reçu une boîte grise expédiée par Blacksocks, entité commerciale dont le siège social est basé à Zurich. À l'intérieur, un courrier me promet «un avenir chaussettement sûr». Cette missive est accompagnée d'un gadget du nom de «Sock Sorter» – littéralement le «trieur de chaussettes» – qui va m'aider à assortir la dizaine de paires que contient également le colis. La mission assignée au «Sock Sorter» est, comme le précise Blacksocks, relativement ambitieuse : «éradiquer de cette terre l'humiliation de l'homme par des chaussettes dépareillées». En observant ce petit boîtier en plastique rouge et noir, je ne sais plus très bien si je navigue dans le 15e degré tant ce monolithe miniature semble sorti d'un rayon farces et attrapes ou si, au contraire, je suis là en présence d'un totem technologique avant-gardiste, célébrant à sa manière l'extension du processus de rationalisation planétaire. Comment cela marche-t-il ? À vrai dire, cela reste pour moi en grande partie mystérieux, au moins autant que le fonctionnement de l'électricité. Je comprends néanmoins que, via des puces RFID, le «Sock Sorter» permet à l'iPhone de communiquer avec les chaussettes connectées et de constituer des paires, enregistrées sous un matricule précis. Unie par cette nomenclature électronique, telle chaussette ira donc définitivement avec telle autre, un point c'est tout! Bourré de technologie, le «Sock Sorter» s'inscrit dans la longue liste des objets qui accomplissent désormais les choses à notre place. Des chaussures intelligentes qui se ferment automatiquement (Digitsole Smartshoe) à la couette connectée qui refait le lit toute seule (SmartDuvet Breeze), en passant par le caddie de supermarché autonome (wiiGO), les gadgets semblent aujourd'hui porteurs d'une vie propre, rappelant la prosopopée des films enfantins où les balais, les voitures et les cafetières s'animent. Mais, derrière cette magie, il existe toute une machinerie qui doit être élaborée et mise en œuvre. Le colis contient à cet effet un guide d'utilisation en sept étapes, soit autant de marches censées me conduire vers le nirvana de la délégation. Après avoir téléchargé l'appli Blacksocks (étape 1), je suis invité à créer mon compte (étape 2). Problème : l'interface est en allemand. Il me faut alors plonger dans de vieux souvenirs de collège traumatiques pour conclure que «Neue Kunde» signifie sans doute quelque chose comme «Nouveau Client». Je clique ensuite sur «Auswälhen», en espérant que ça veut bien dire «Valider», puis sur «Registrieren». Un message inquiétant, et peu compréhensible, apparaît alors : «Registrierungs Fehler. Diese E-mail Adresse wird bereits verwendet. Nutzen Sir die "Passwort vergessen"-Funktion.» Ouh là là, j'ai l'impression désagréable qu'Angela Merkel est en train de m'engueuler parce que j'ai laissé filer le déficit budgétaire. Un brin paniqué, j'appuie sur «Zurück» et décide de tenter la case «Besthender Kunde». Nouvel échec. J'y vois à peu près aussi clair qu'un gnome ivre perdu dans le brouillard de la Forêt-Noire. C'est comme si, déambulant au milieu de ce labyrinthe d'actions inabouties, j'étais invité à me familiariser progressivement avec l'axiome paradoxal qui régit les univers délégataires : tout ce qui est censé s'avérer plus simple tend, inexorablement, à devenir de plus en plus compliqué. Au détour d'un sous-bois procédural, je débouche sur un nouveau cul-de-sac : «Login Fehler». C'est très bien tout ça mais, pour mes problèmes de chaussettes, on fait quoi ? Je pensais optimiser la gestion d'un pan non stratégique de mon vestiaire et je me retrouve soudain dans une version domestique de *Hansel et Gretel,* égaré au milieu d'une forêt de signes gutturaux et d'options indémêlables, sans aucune idée de la direction à prendre. J'envoie un mail désespéré au service client. En anglais, car je suis vraiment trop nul en allemand : *« Hello, Excuse me but I did not succed to log to my account. Could you help me please. Thank you. Best regards »*.

Le lendemain, un nouveau message de Blacksocks me prévient que mon mot de passe a été réinitialisé. Pour éviter de me perdre à nouveau dans des procédures auxquelles je ne comprends rien, je regarde un tutoriel sur Youtube et je réussis à appareiller assez facilement les dix paires reçues, en cliquant simplement sur « Neues Sockenpaar bilden ». Je ne comprends pas vraiment comment j'ai réussi à m'en sortir, mais je suis content. Je reçois alors un message de confirmation sur mon écran de smartphone : « Socken gepaart ». Je peux enfin pousser un énorme ouf de soulagement. Certains détails m'échappent encore mais, désormais connecté à la grande rigueur suisse-allemande, je comprends que le destin de ces chaussettes vient d'être irrémédiablement chamboulé. En passant simplement le « Sock Sorter » sur les puces RFID, je peux désormais reconstituer sans effort le binôme de n'importe quelle chaussette tirée au sort et, pour chacune d'elles, accéder à une fiche d'identification détaillée mentionnant la date d'achat, le nombre de lavages, et le pied auquel elle a été attribuée (droit ou gauche). Un peu comme avec le bracelet électronique pour les prisonniers, le vécu de la chaussette est désormais surveillé de très près.

Entre ingénierie de haut vol dans la langue de Goethe et dialogues kafkaïens avec de lointains services clients, tout cela m'aura en réalité pris énormément de temps. Sur les vingt jours que l'automatisation était censée me faire gagner, j'en ai déjà perdu au moins deux à gérer ces soucis. La promesse liée à la sous-traitance reste néanmoins alléchante, assez en tout cas pour aiguiser ma curiosité et me donner envie de poursuivre l'expérience. Il y a néanmoins une tracasserie que je n'avais pas envisagée. Si je peux désormais les appareiller automatiquement grâce à leurs puces RFID, mes chaussettes augmentées ne doivent surtout pas être passées en machine mais lavées à la main. Résultat, depuis que j'en suis propriétaire, elles traînent en petits tas épars dans mon appartement, Post-it odorants me rappelant à la réalité de mon inconséquence. Sous ses dehors séduisants, je commence à me demander si ce rêve de maîtrise ne serait pas le ferment d'un absolu laisser-aller.

CHAPITRE 2

Comment, alors que la neige se faisait toujours attendre, j'en suis venu à abandonner la magie de Noël au Petit Pap'Amazon

Services testés : Amazon, RoboKado

On pense, de manière totalement abusive, que la délégation existentielle est quelque chose de futuriste, réservé à une minorité d'individus aventureux ou fortunés. Cette vision des choses est totalement fausse. En quelques années, imperceptiblement, des pans entiers de l'existence nous ont échappé, pour le meilleur comme pour le pire. Il suffit de prendre un simple taxi pour s'en rendre compte. L'artisan qui, il y a une décennie encore, avait la carte de la ville modélisée au fond du crâne affiche désormais une rangée de plusieurs GPS sur son tableau de bord et s'en remet à eux aveuglément, comme à un chœur de pythies routières. C'est à se demander si, en cas de panne de ces instruments de navigation, il serait encore capable de trouver par lui-même la tour Eiffel.

Cette délégation existentielle, presque imperceptible, se manifeste aussi au moment des fêtes de fin d'année dont le rituel s'est souterrainement modifié sous l'effet des nouvelles technologies. Avant, quand j'étais petit, je croyais tout simplement au père Noël. Cette histoire de type obèse et couperosé passant par le conduit de la cheminée pour déposer à côté de ma chaussure des cadeaux fabriqués en Chine me paraissait même merveilleuse, empreinte d'une touchante poésie parfumée aux effluves de vin chaud à la cannelle. Puis, j'ai grandi. Sous l'effet de la maturité et de la rationalité qui servaient désormais de système d'exploitation à mon cerveau, Noël prenait un autre sens, dominé par l'économie subtile des sentiments. Noël était ce moment particulier où, au moins une fois dans l'année, j'avais pris le temps de penser activement à mes proches. Je leur signifiais ce regain d'attention à travers un présent que je m'étais appliqué à dénicher dans la multitude impersonnelle des offres disponibles. Sans avoir à prononcer une seule parole, ce cadeau était censé dire à quel point j'avais saisi la subtile vibration qui animait son destinataire, comme une pièce s'agrégeant parfaitement au puzzle de son propre mystère. Ce cadeau était un moyen de hurler en silence un très gaullien : «Je t'ai compris.» De leur côté, mes proches avaient à charge de faire de même. Mais il fallut se rendre à l'évidence : autant l'histoire du gros barbu était une vaste escroquerie parentale que l'on pouvait comprendre en prenant un peu de hauteur mythologique, autant il devenait clair, au fil des années, que cette idée d'un moment existentiel transcendant qui adviendrait au travers du rituel des cadeaux était largement surévaluée. En réalité, cet instant de pyrotechnie affective tombait le plus souvent à plat : entre les vêtements trop serrés qui me donnaient des airs de salami obèse et les présents qui semblaient destinés à quelqu'un d'autre, force est de constater que mon propre mystère restait le plus souvent inaccessible à mon entourage. La maxime sournoise des fêtes de Noël semblait alors être : plaisir d'offrir, joie de décevoir. Je ne jette ici la pierre à personne car, pour ma part, j'offrais d'année en année, principalement à cause du manque de temps, le même sempiternel attelage anti-froid : des gants et des écharpes pour tout le monde. Bref, cette magie un peu poussive aboutissait à des procédures complexes de revente ou d'échange de cadeaux.

C'est à ce moment-là que le Petit Pap'Amazon a fait son entrée fracassante dans nos vies. Plus besoin, pour mes proches, d'aller perdre des après-midi entières dans la jungle climatisée de Nature & Découvertes pour en ressortir avec un CD de chants de baleines ou un poncho péruvien. Peu avant les fêtes, je leur expédie – toujours à la dernière minute, il est vrai – une série de liens assortis d'une blague de circonstance : «Désolé pour ceux qui croiraient encore au père Noël, mais voici une petite liste de cadeaux. Pour la liseuse Kindle, on peut s'y mettre à plusieurs!;-).» Ce message, qui semble émaner d'une lointaine bureaucratie déshumanisée, est toujours accompagné d'un (ou de plusieurs) alignement(s) de signe(s) kabbalistique(s) : http://www.amazon.fr/ dp/B00QJDO0QC/ref=asc_df_B00QJDO0QC30 514794/?tag=googshopfr21&creative=22686&cr eativeASIN=B00QJDO0QC&linkCode=df0&hv dev=c&hvnetw=g&hvqmt=. Même si l'on décore encore manuellement le sapin, tout le sentimentalisme approximatif de Noël est désormais passé au filtre détergent de cette efficacité technologique. À l'autre bout du tuyau, le destinataire m'envoie généralement un accusé de réception laconique du type : «Hello, Bien reçu! Bises.» À peu près à cette période (un peu avant, pour être honnête), je reçois dans ma boîte mail le même genre de listing que celui que j'ai expédié. Et, sans avoir à me déplacer dans des boutiques surpeuplées où pèsent des menaces d'attentat, je n'ai plus qu'à cliquer pour faire mes courses de Noël, dans la chaleur douillette de mon appartement-bunker où clignotent les guirlandes électriques. Au début, je me suis demandé si un cadeau devenait moins important du seul fait que sa réalisation avait nécessité moins d'effort. Et puis, face au caractère extrêmement pratique du système, j'ai rapidement laissé tomber ce type de questionnement vaguement moral. D'autant que le Petit Pap'Amazon ne se contente pas de se procurer et de livrer la marchandise, il l'empaquette également à ma place, exercice dans lequel mes performances ont toujours été extrêmement décevantes. Je regrette parfois que les gens n'aient plus le loisir d'identifier mes présents par le seul truchement de leurs emballages chaotiques, mais je n'arrive pas à me dire que c'est vraiment une grande perte.

Ce qui est sûr, c'est qu'en quelques années, l'économie sentimentale de Noël a été profondément modifiée : ce n'est plus moi qui adresse une attention à mes proches au travers des cadeaux, mais c'est à eux de savoir désormais ce qu'ils veulent pour eux-mêmes. Cette simplification de la procédure possède un revers dont je n'avais pas prévu le caractère épuisant. De mon côté, je suis désormais obligé de déterminer, pour moi-même, ce qui me ferait vraiment plaisir. Et c'est là où les choses se compliquent. Car je suis atteint d'une sorte de blocage, ayant un mal fou à objectiver mon propre désir. Bizarrement, cette contractualisation des achats de Noël accentue mon propre syndrome, qui se caractérise par une incapacité à trouver une idée de cadeau satisfaisante dans le temps imparti. Plus l'échéance de Noël se précise, plus résonne le tic-tac obsédant de la montre dans l'immensité désertique de mon absence d'envie. Une console de jeux ? N'ai-je pas passé l'âge ? Des skis de fond ? À quoi bon, s'il n'y a plus de neige ! Un iPad ? J'en ai déjà un ! Voir les enfants affairés à la rédaction de leur lettre, biffant studieusement les pages du catalogue de jouets plusieurs semaines avant l'échéance, me laisse à penser qu'un mécanisme simple d'auto-hédonisme est peut-être endommagé chez moi.

Un temps envisagée, l'utilisation de générateurs automatiques à idées cadeaux n'a pas eu les résultats escomptés. Mon passage sur le moteur de recherche RoboKado s'est en effet avéré extrêmement décevant. J'ai dû tout d'abord renseigner une série de cases (âge, life-style, prix du cadeau) pour me conformer à une vision anthropologique qui débite l'humain en tranches catégorielles très approximatives. Sur RoboKado, on est ainsi, au choix, «plutôt créatif», «plutôt joueur», «plutôt aventurier», «plutôt bobo», «plutôt casanier», «plutôt curieux». Et si l'on n'est «plutôt rien de tout cela», on se range quand même à l'étroit dans une case qui n'est pas la sienne. Faute de mieux, j'opte pour un profil créatif, avec une mise de départ à moins de 100 euros. RoboKado me propose alors un «T-shirt animé Heartjacking», décoré d'une tête de Yoda avec des lunettes d'aviateur, le genre de frusque que pourrait porter David Guetta en tournée à Ibiza. D'un mauvais goût très sûr, ce vêtement clignote au rythme de la musique. L'idée de me transformer en boule à facettes ne m'enchante pas vraiment.

Je m'en remets donc, pour finir, aux recommandations de mon père Noël de substitution : le Petit Pap'Amazon. Même s'il ne verse pas du tout dans le folklore barbe blanche en coton, traîneau à clochettes et escalade nocturne sur la face sud de la cheminée, il me connaît extrêmement bien, car il enregistre, tout au long de l'année, méthodiquement, silencieusement, patiemment, tout ce que j'achète chez lui. Mon historique est ensuite passé à la moulinette algorithmique. Des recommandations prédictives, basées sur les comportements d'achat d'autres clients, prétendent ainsi dessiner la cartographie de mes pulsions enfouies. Ces suggestions fonctionnant sur un mode associatif se révèlent étonnamment cohérentes, sous-tendues par une logique somme toute primaire et imparable qui veut que, si je m'offre par exemple une bourriche d'huîtres au supermarché du coin, j'ai plus de chances, comme l'ont fait des générations de clients avant moi, d'en ressortir avec une bouteille de muscadet en complément, plutôt qu'avec un taille-haie électrique. Il faut bien l'avouer, ces prédictions sont tout bonnement hallucinantes, visant tellement juste qu'elles suscitent un profond questionnement : est-ce réellement moi qui veux ça ? Mon avatar consumériste a-t-il implanté des capteurs au plus profond de mon intimité pour en arriver à savoir, mieux que moi-même, ce que j'affectionne ? Par cette habile mécanique de ventriloquie du désir, le site de vente en ligne court-circuite finalement tout souhait véritable, en lui substituant une alternative confondante. C'est tellement proche de ce que je pourrais désirer, me dis-je, que je n'ai plus besoin de me fatiguer à produire un désir inutile. En cette semaine de Noël, et alors que je n'ai toujours pas choisi de cadeaux, je compte une fois de plus sur l'assistance suggestive de l'algorithme. Quelques jours avant les fêtes, alors que la neige se fait toujours attendre sur les sommets des Pyrénées, le Petit Pap'Amazon me conseille *La Métaphore vive*, du philosophe français Paul Ricoeur. Emmanuel Macron n'a pas encore été élu président que le robot prédictif me propose déjà de me plonger dans l'œuvre de son mentor. Non sans jeter quelques coups d'œil discrets à la montagne alentour dont les pentes pelées restent malgré tout majestueuses, je parcours le descriptif de l'ouvrage : « La rhétorique, d'Aristote à Fontanier (mais aussi aux structuralistes), prend le mot pour unité de référence. En ce sens, la métaphore n'est que déplacement et extension du sens des mots ; son explication relève d'une théorie de la substitution. Le point de vue sémantique en diffère dès lors que la métaphore est replacée dans le cadre de la phrase, elle n'est plus alors une dénomination déviante mais une prédication impertinente. » À vrai dire, je ne comprends pas grand-chose, mais ce n'est pas grave. Un onglet en évidence garantit que cet ouvrage sera « Livré avant Noël ». La couverture, avec un homme aux allures de statue grecque dialoguant de manière énigmatique avec un griffon, est intrigante à souhait. Difficile de savoir s'il s'agit d'une étreinte fougueuse ou d'une mise à mort. Je clique sur «Acheter». Imaginer qu'un algorithme pense à moi, même si je sais que c'est totalement faux, aurait presque un petit côté touchant. Je ne lirais sans doute jamais ce livre, mais le fait que le Petit Pap'Amazon me considère comme assez intelligent pour le faire est pour le moins flatteur. L'autre avantage du Petit Pap'Amazon est qu'il n'y a pas besoin de lui laisser un bout de gâteau et un verre de vin tiède sur la table avant d'aller se coucher le soir de Noël, car il n'a pas de tube digestif. Il n'interprète pas son rôle en cabotinant. C'est sans effet de manche et sans goutte au nez qu'il livre des dizaines de paquets identiquement emballés, instaurant une forme d'égalitarisme cartonné entre les différents foyers du globe.

En raison de cette rationalisation galopante, la fameuse «magie de Noël» a radicalement changé de registre. Elle n'est plus ce lien ténu au surnaturel et au territoire tintinnabulant de l'imaginaire enfantin, mais devient dès lors oubli des déterminations concrètes par lesquelles cette prouesse de livraison est rendue possible. La magie se résume ici à une forme de prestidigitation. Oubli des conditions sociales qui règnent dans l'arrière-boutique du Petit Pap'Amazon. Oubli du monde ultra-procédural et normatif qui accompagne l'émergence de ce type de services. Oubli de la destruction d'emplois concomitante dans les commerces du secteur. Après avoir passé ma commande, je pars me faire couper les cheveux chez un petit coiffeur de la vallée. Il y a des bois de cerf, des poignards et un fusil accroché aux murs de son salon, déco éminemment singulière, assortie d'une affichette en forme d'avertissement : «Honni soit qui mal y pense». Les fauteuils de l'ancien cinéma du village font office de salle d'attente. Nantais établi depuis plusieurs décennies dans les montagnes, le coiffeur est un septuagénaire étonnant, dont les fulgurances oratoires accompagnent le cliquetis des ciseaux. Une sorte de visionnaire dont les propos résonnent encore des jours durant, alors que les cheveux ont déjà commencé à repousser. Il y a là un mystère lié à la connexion des âmes que je ne m'explique pas bien, mais dont je suis sûr qu'il n'a absolument rien à voir avec la prescience algorithmique. Cette année, sa boutique, où l'on trouve aussi, traditionnellement, pléthore de souvenirs et de jouets, est presque vide. Les gens ne viennent plus acheter ici. Les colonies de vacances s'en sont allées. Le coiffeur ne renouvelle plus son stock. Pendant que se désertifie ce lieu chaleureux sous les auspices d'un monde faussement réticulaire et réellement centralisé, des millions de paquets marron, anonymes, transitent sur ces millions de kilomètres de rails invisibles dont le Petit Pap'Amazon a innervé la planète. Menaçant désormais jusqu'aux grands centres commerciaux, le capitalisme de plateforme poursuit son inexorable marche en avant, sans se soucier des dégâts collatéraux, au premier rang desquels la dévitalisation des espaces communs, où la sociabilité s'enracinait jusqu'alors. Dans son entreprise de dévastation silencieuse, le Petit Pap'Amazon peut compter sur un allié de poids, un relais zélé sur le terrain : moi-même. Car j'ai beau pressentir les effets délétères d'un tel système, ma flemme croissante m'invite bien souvent à appuyer, les yeux fermés, sur «Acheter en 1-Clic». À quoi bon m'extirper du lit et me traîner péniblement jusqu'à la librairie du coin, quand tout vient à moi si naturellement?

Dans la société occidentale, la «magie de Noël» devient alors un processus d'Alzheimer généralisé par lequel on se force à gommer ces images dérangeantes de commerces à l'abandon dans les villages et les villes moyennes. Ils sont l'envers dévasté de ces entrepôts géants où le moindre geste des salariés est chronométré et rentabilisé, où l'homme devient une sorte d'exécutant interchangeable asservi à l'appétit d'une firme transnationale, où le salarié le plus efficace sera désigné par l'appellation prétendument méritoire d'«Amabot» – contraction d'Amazon et de robot –, avant d'être lui-même remplacé par des opérateurs mécaniques plus efficaces. Dans la foulée de ce grand mouvement d'amnésie généralisée, j'oublie comme chaque année de participer à la préparation de la bûche de Noël.

CHAPITRE 3

Comment, après avoir confié mon jardinage à une application, j'ai fini par recevoir les ordres tyranniques d'un potager connecté

Service testé : Lilo

Ce matin, j'ai croisé mes voisins d'en face qui transportaient discrètement un arbre mort, débité en tranches, dans le but de s'en débarrasser. Ce jeune couple sympathique ne sait pas trop comment cela est arrivé, mais, branche après branche, l'arbre s'est mis à dépérir, jusqu'à trépasser. Il m'est arrivé sensiblement la même chose il y a quelques années avec un cactus que j'avais entrepris de cultiver au bureau. Cette présence végétale épineuse donnait à mon box vitré des allures de Nouveau Mexique en même temps qu'un aperçu de ma psychologie du moment. Au bout de quelques mois, les trois protubérances qui composaient ce massif hirsute ont toutes périclité à tour de rôle, en raison – je dois en faire ici l'aveu et m'en excuser platement auprès du cosmos –

d'un manquement coupable aux règles élémentaires de l'arrosage. J'en garde encore des regrets aujourd'hui. Même si je comprends en théorie la gravité de ces entorses aux convenances hygrométriques, je reste un dangereux multirécidiviste, au point qu'il ne serait pas inconcevable de me retrouver un jour interdit de jardineries. Le sort connu par le cactus a également été funeste aux aromates que j'ai, à une certaine période de ma vie, tenté tout aussi vainement de faire prospérer en appartement. Du basilic à la ciboulette, tous ont connu le même destin. Il faut se rendre à l'évidence : je suis une sorte de Dexter du jardinage, affichant un discours très éco-friendly en surface, tout en me comportant dans le fond comme le dernier des serial-killers avec les végétaux. Je suis peut-être, aussi, trop feignant et déconnecté des rythmes exigeants de la nature pour consacrer le temps et l'attention nécessaires à la croissance harmonieuse des plantes. Mais dois-je pour autant renoncer au plaisir d'avoir, sous la main, des herbes fraîches pour relever mes plats ? De la coriandre pour mes bobuns ? Du persil pour m'injecter de puissantes doses de vitamine C dans les veines ? N'ai-je pas le droit, moi aussi, de me rêver en hippie urbain, écoutant du néo-folk et regardant béatement pousser de la ciboulette ? Dois-je être tenu à l'écart de cette émergence enthousiaste de l'agriculture urbaine qui, des friches de Detroit au petit jardin partagé à côté de chez moi, concourt à transformer la ville en vaste usine à cucurbitacées ? Bien sûr que non.

Après avoir fouiné quelque temps sur internet, il me semble avoir enfin trouvé la solution adéquate à mon problème, laquelle se présente sous la forme avenante d'un mini-potager connecté : le système Lilo. Sur le carton d'emballage de cette usine biologique que je reçois chez moi quelques jours à peine après avoir passé ma commande, les photos illustrent parfaitement un rapport à la nature qui semble réduit à sa plus simple expression instrumentale. On y voit un plat de pâtes fumantes relevé d'herbes aromatiques (car le système est là «pour égayer votre cuisine au quotidien»), ainsi que l'image d'un tournesol censé «apporter un îlot de nature chez vous» (soit une conception totalement résiduelle de la biosphère). Si, sur la photo, ce tournesol semble à deux doigts du burn-out, c'est très certainement parce qu'il ne voit jamais le soleil. L'astre de feu vers lequel il est habitué à se tourner a été remplacé ici par un ensemble de LED basse consommation. Pour l'heure, je dois tempérer l'ardeur de mes enfants qui ont entrepris, en cette matinée pluvieuse, de faire eux-mêmes les plantations que j'avais d'autorité reportées à plus tard. Car – c'est du moins la philosophie par l'exemple que j'essaie de leur transmettre – pourquoi faire aujourd'hui ce que l'on peut remettre à demain ? «Allez, papa, s'il te plaît!», plaident les enfants, de cette voix attendrissante qui leur permet généralement d'obtenir des sucreries à toute heure. En vertu d'un deuxième axiome fondateur, mieux classé dans la hiérarchie de mes principes existentiels structurants – pourquoi faire soi-même ce que l'on peut laisser faire à d'autres ? –, je décide finalement de leur déléguer cette opération périlleuse de végétalisation de notre environnement domestique.

Néanmoins, je ne peux m'empêcher de voir se dessiner ici la possibilité d'un scénario catastrophe : 1) se bousculant pour savoir qui va ouvrir le sachet en premier, les enfants répandent les graines par terre ; 2) ils les ramassent en y adjoignant des miettes de Chocapic qui traînent au sol ; 3) on se retrouve quelques semaines plus tard avec une plante génétiquement modifiée et des pâtes au basilic à l'arrière-goût de cacao. Contrevenant à certains de mes principes, je décide donc de prendre en main la partie la plus délicate de l'opération. C'est en pyjama que j'officie à cette heure encore matinale, introduisant dans le pot prévu à cet effet une petite capsule de terre qui ressemble à s'y méprendre à la dosette que George Clooney utilise pour faire son café. Le système Lilo a en effet repris à son compte l'idée de Nespresso, à ce détail près que ce n'est pas de l'arabica moulu, mais la nature tout entière qui est ici encapsulée. Ce petit arpent de terre possède trois micro-orifices dans lesquels je répartis les graines, avec le geste moyennement auguste du semeur d'appartement. Une fois ce travail de semis effectué, mes enfants se chargent de remplir d'eau les récipients sur lesquels sont censées flotter, et prospérer, les dosettes ensemencées. Elles matérialisent l'épicentre de ce mini-système horticole, grâce auquel j'envisage de refonder mon rapport famélique à la nature. Plus besoin de s'embêter à étudier la botanique, de suivre à loupe le calendrier lunaire, ni d'aller acheter du terreau chez Truffaut, le biotope est ici livré prêt à l'emploi, conditionné aussi simplement qu'un café *volluto*. Si je partais sur une planète lointaine avec l'objectif un brin utopique de me lancer dans la transformation d'un champ de lave en usine à courgettes, c'est sans doute le genre de kit que j'emporterais sous le bras… en même temps que l'adresse du Carrefour Market le plus proche, au cas où ma tentative se révélerait infructueuse.

Après cette première phase un brin laborieuse, en bon jardinier connecté, je télécharge l'appli My Lilo, censée servir d'intermédiaire entre le présent système technique et mon cerveau. L'appli détaille toutes les étapes d'installation, guidant le néophyte que je suis au moyen de photos didactiques. «Étape 3 : Placer le luminaire sur la tige en bois (sans forcer) et branchez-le sur le secteur.» Voilà le système Lilo connecté. Je n'ai plus qu'à attendre que mon appartement se transforme en biosphère sous cloche en écoutant un vieux 33 tours de Joan Baez. Comme je ne vois personne de la journée, dialoguant essentiellement avec l'écran de mon ordinateur que décore une pomme à moitié croquée, j'ai parfois l'impression d'être une sorte de Mark Wahlberg d'intérieur. Dans le film *Seul sur Mars*, ce naufragé galactique occupait ses journées à faire pousser des patates extraterrestres sous une serre plastifiée, dans une ambiance contemplative de Jardiland des confins. Sauf que là, ma femme revenue du travail surgit au milieu de mon space opera solitaire, pour m'expliquer que je n'ai pas placé le dispositif au bon endroit. Sans dévier d'un micron de ma ligne de conduite, j'obtempère : quand on envisage de déléguer efficacement son existence, ce n'est certainement pas pour batailler sur des options anecdotiques. L'objectif étant la moindre consommation d'énergie neuronale, le système Lilo atterrit finalement derrière l'égouttoir à vaisselle, juste au-dessous du Velux de la cuisine.

Quand ce n'est pas ma compagne qui me donne des instructions, c'est l'application. «Pense à régler la puissance de la lumière et ses cycles d'éclairage!», me prévient mon sympathique «Journal de pousse». Je clique sur le message en question pour en savoir plus et j'accède à une explication détaillée : «Toutes les plantes n'ont pas besoin de la même exposition lumineuse, nous vous conseillons de régler l'intensité de la lumière et le nombre d'heures où elles seront...» Le message s'interrompt brusquement comme si la communication avec la base de Houston venait d'être coupée par un orage stellaire. Comment régler l'intensité de la lumière? Quelle manœuvre effectuer pour obtenir le meilleur rendement de cet appareillage complexe? Je pourrais peut-être trouver des réponses dans le mode d'emploi mais je ne sais plus où il est. Je suis seul au milieu de la Voie lactée, et je dois me débrouiller par moi-même.

Je décide donc – c'est peut-être là mon bon sens de paysan urbain qui commence à s'aiguiser – de laisser tomber cette histoire de réglage manuel. Mon projet initial n'était-il pas, d'ailleurs, de faire travailler la machine à ma place, en limitant au maximum mon intervention ? Me lancer dans des manipulations techniques complexes et chronophages serait, d'une certaine manière, rompre avec mon idéal de départ, inspiré par le retour à la nature du philosophe Henry David Thoreau. Je laisse donc le biotope encapsulé dialoguer en un face-à-face muet avec une rangée de LED à la logique impénétrable. Une chose est sûre, le cycle d'éclairage artificiel n'a rien à voir avec celui de la lumière naturelle. Lorsqu'il m'arrive de me lever en pleine nuit pour aller faire pipi ou boire un verre d'eau, je constate que la cuisine baigne dans un halo de lumière vive pareille à celui que l'on trouve dans les films du genre *E. T.* ou *Rencontre du troisième type*. J'ai la désagréable sensation d'être aveuglé par les phares d'un vaisseau venu d'ailleurs, qui n'aurait pas pris la peine de passer en codes avant d'atterrir, laissant supposer par là des intentions belliqueuses. Je pars alors me recoucher le plus rapidement possible, avant que ce flash lumineux ne dérègle mon propre cycle de sommeil.

Les jours passent et je constate avec joie que la vie semble émerger des petites capsules de terre ensemencées. Mon «Journal de pousse», quant à lui, ambitionne de m'éclairer sur ce qui se déroule sous mes yeux. Un message énigmatique m'annonce : «Les premiers cotylédons apparaissent, mais qui sont-ils ?» C'est vrai ça, qui sont-ils ? Je clique sur le message pour qu'un transfert de connaissances s'effectue entre le «Journal de pousse» et mon disque dur de cultivateur urbain. «Vous voyez deux petites "feuilles", ce sont les cotylédons. Les vraies feuilles arriveront dans quelques jours, patience!» Mais quel intérêt de faire pousser de «fausses» feuilles pour ne dévoiler les «vraies» que quelque temps plus tard? Comme avec les dents de laits, la nature a des coquetteries parfois impénétrables. Le lendemain, je reçois un nouveau message, tout à fait adapté à mon profil de jardinier oublieux : «Vérifiez que vos capsules sont bien humides!» Je constate que mon «Journal de pousse» verse sans complexe dans l'injonction, utilisant l'impératif comme si on avait planté des choux de Bruxelles ensemble. Mais bon, je préfère me faire bousculer de temps à autre par une appli autocrate plutôt que de laisser une fois encore périr des végétaux à quelques centimètres d'un robinet.

Un mois après mes premiers semis, j'effectue une découverte de taille : contrairement à ce que je pensais, mon smartphone et mon Lilo ne sont pas vraiment connectés ensemble. Je fonctionne depuis plusieurs semaines avec un système incorrectement paramétré, au rendement sans doute bien en deçà de l'optimum, et ne diffusant que des informations génériques. Certes, les plantes poussent, mais cela relève sans doute plus du miracle de la nature que d'un quelconque positivisme technologique. J'enclenche le processus de connexion. «Veuillez patienter durant la procédure de jumelage de votre Lilo», me dit la machine. En parcourant les rubriques de l'interface, je m'aperçois au passage que je suis sans doute allé trop vite en ensemençant mes trois capsules en même temps, sans réfléchir aux conséquences de ce geste précipité. «La vitesse de pousse de chaque plante n'est pas identique. Nous vous conseillons de planter vos graines en décalé pour récolter vos plantes en même temps.» Hé, Lilo, tu ne pouvais pas le dire avant, non ?

Contrairement à ce que je pensais, on ne devient pas cultivateur urbain comme ça, en un claquement de sécateur, même en déléguant une partie du labeur à un système automatisé. Il y a des cycles à respecter, des étapes à franchir avec méthode, des actions à mener à bien : la «nespres-soïsation» de la nature n'est peut-être encore qu'un doux rêve inatteignable. Comme si ça ne suffisait pas, l'appli en rajoute dans le pathos en m'envoyant à longueur de semaines des messages flippants, comme si elle s'était embarquée dans une sorte de chantage affectif : «Au secours, des algues vertes et des moisissures sur mes terres!» Tout ça pour m'expliquer, juste après, que ce n'est rien du tout et que je ne dois surtout pas m'inquiéter. À croire que Lilo a été stagiaire sur BFM TV dans une vie antérieure, tant elle manie à la perfection les ressorts de la psychose inutile. Là où je pensais n'avoir que peu de choses à faire, je me retrouve en réalité à devoir répondre aux injonctions de plus en plus pressantes de mon angoissant «Journal de pousse». Visiblement atteint d'une forme de trouble de la personnalité, il s'exprime maintenant comme s'il était la voix des plantes. «J'ai faim, vite mon 1er sachet (rose) de nutriments!», me dit l'avatar du basilic pourpre. «J'ai soif, arrose-moi!», hurle la mélisse par texto. «J'ai soif, arrose-moi!», répond en écho le pourpier. À force, j'ai l'impression d'être devenu une sorte de dealer pour végétaux, agrippé par des racines déshydratées qui me tireraient la manche pour obtenir leur dose. Est-ce moi qui suis au service de la technique ou l'inverse ?

Heureusement, ma récompense ne va pas tarder. Par une belle journée de printemps, je reçois un texto du basilic pourpre, sobrement intitulé : « C'est l'heure de la récolte ! » Tout cela est bien gentil, mais, en me penchant sur les quelques centimètres carrés de terre arable, je m'aperçois que le basilic en question est très, mais alors très, très loin d'être à maturité. Il est vrai que je n'ai pas suivi toutes les étapes à la lettre, ce qui constitue peut-être une partie de l'explication. Comme il est de notoriété publique que la terre ne ment pas, je dois aussi savoir reconnaître mes torts. Toujours est-il que si je récoltais le basilic en l'état, il ne suffirait pas à agrémenter la portion de pâtes d'un puceron. Je déchante. Avec ce dispositif de « home growing » – oui, on a toujours l'air plus intelligent quand on parle anglais –, le fabriquant me promettait avec emphase que j'allais « planter, sans me planter » – oui, les haïkus sous influence Audiard sont toujours plus mémorables en français. Mais la vie est parfois capricieuse, inattendue, bien plus surprenante en tout cas qu'une simple promesse marketing. Je décide donc de laisser la plante poursuivre tranquillement sa croissance et de m'en remettre à mon œil de paysan urbain, afin de juger du moment adéquat pour la récolte. Réinstaurer un rapport direct à la nature est peut-être la meilleure décision que j'ai prise ces derniers jours, tant cette intermédiation permanente du smartphone alimente chez moi un sentiment d'esclavage potager. Je constate d'ailleurs que l'aloe vera planté par ma femme sur le rebord de la fenêtre pousse avec beaucoup plus de vigueur que mes propres herbes aromatiques, sans tout ce déploiement technologique. Quant à la plante verte qu'elle a placée dans un vieux pot de Nutella, elle affiche une santé insolente. Plus les jours passent, plus les injonctions s'accumulent via l'interface de mon «Journal de pousse». On dirait une chanson d'Eminem sur le thème ambigu du sein de sa mère : «J'ai soif, arrose-moi!», crie la mélisse par un beau dimanche d'avril. «J'ai faim, vite un sachet de nutriments "fleur"!», hurle le pourpier. «J'ai faim, vite mon 2e sachet (vert) de nutriments», tempête l'irascible basilic pourpre. Ohé les plantes, vous allez me lâcher la grappe maintenant! À force de vouloir instrumentaliser la nature, elle semble utiliser en retour le même mode de relations à mon égard, réactualisant la fameuse dialectique du maître et de l'esclave.

Fais ci! Fais ça! Jamais je n'aurais imaginé me faire traiter de la sorte par un potager connecté. J'obtempère néanmoins, pour ne pas être à l'origine d'un énième trépas végétal. Mais n'arrivant pas vraiment à traiter sur le coup ces injonctions incessantes, je ne sais plus vraiment où j'en suis. Ai-je donné ses nutriments au pourpier? Arrosé la mélisse? Taillé le basilic?

Dans le fond, cette relation asséchée à la nature, envisagée ici comme simple ressource à exploiter, m'attriste. Un écosystème vivant que l'on finit par ne plus voir que sous l'angle prostitutionnel, un asservissement total du biotope maladroitement maquillé en communion champêtre : voilà ce que j'ai en face de moi. Alors que je tente de renouer le dialogue avec mon «îlot de nature» capricieux, je découvre sur internet une news effrayante, témoignant de la sauvagerie ambiante : victime des pesticides, broyée par les engins agricoles, aplatie sur nos routes, brûlée par les feux de jardins, la population de hérissons a chuté de 70% en vingt ans en France et l'espèce pourrait disparaître d'ici 2025. Contrairement au pourpier, les hérissons n'ont pas encore été encapsulés. On ne pourra pas donc pas les faire ressortir de terre avec un peu d'engrais et des rangées de LED.

Au bout du bout de cette opération de végétalisation ayant suscité des sentiments contrastés,
alors que ma cuisine a fini par se transformer en
véritable jungle, je réalise ma première cueillette de
basilic pourpre. Le moment est émouvant, même
si, pour en arriver là, j'ai sans doute consommé
l'équivalent de l'électricité nécessaire à l'éclairage
annuel du Burkina Faso. J'intègre les petites feuilles
à un risotto fait maison qu'elles relèvent merveil-
leusement. Manger une plante qui a mis autant
d'application à dialoguer avec moi me donnerait
presque le sentiment d'être devenu cannibale.

CHAPITRE 4

Comment j'ai ubérisé mes repas et, à force de profusion et de sédentarité, me suis transformé en patate augmentée

Services testés : Foodora, Take Eat Easy, Deliveroo, UberEats, 10S Fork

Je reçois en cette grise journée de février une nouvelle – ou un lien sponsorisé, si vous préférez – qui vient ensoleiller mon fil Facebook : « Nous avons l'immense plaisir de vous annoncer qu'à partir d'aujourd'hui, vous n'aurez plus à faire la queue Rue des Rosiers ! Commandez dès maintenant L'As du Falafel sur foodora.fr. » Question breaking news, c'est à peu près du même niveau sismique que le jour où Christophe Colomb découvrit l'Amérique, qu'il prit d'ailleurs pour les Indes, confondant notablement le Kentucky Fried Chicken et le poulet tikka massala. Tout le monde pressentit alors qu'il y aurait un avant et un après. L'annonce de Foodora est accompagnée d'une photo où une main anonyme tend un énorme sandwich lesté de boulettes dodues, de tomates ruisselantes et d'aubergines grillées à un consommateur imaginaire – vous, moi, lui, un acarien ayant touché l'Euro Millions, bref n'importe quel être vivant susceptible d'aligner 2,50 euros pour se faire livrer un plat tout chaud sans bouger de son canapé. 2,50 euros, c'est la somme que vous devrez ajouter au prix initial du plat pour qu'il arrive chez vous sans effort. Quant au coursier, il touche 7,50 euros de l'heure, auxquels s'ajoutent au minimum 2 euros par commande. L'opulence est donc là, sous mes yeux, matérialisée en ce sandwich *food porn* généreusement ouvert qui ressemble à s'y méprendre à une *Origine du monde* gastronomique. Le fait que ce condensé de calories puisse venir jusqu'à moi sans me demander la moindre dépense énergétique est la matérialisation en mouvement de ce que l'on nomme aujourd'hui le progrès. Ici, c'est tout simplement un livreur aux allures de néo-Anquetil qui m'évite d'avoir à patienter inutilement dans les odeurs de friture et la mêlée des coups de coude. J'ai déjà croisé nombre de ces jeunes cyclistes en plein «shift» – le terme pour désigner la course dans le jargon des «food drivers» –, parcourant la ville avec d'énormes boîtes carrées sur le dos pour acheminer vaillamment, parfois au mépris du Code de la route, la nourriture fumante des cuisines du restaurant jusqu'à l'estomac du consommateur passif. La forme anguleuse de leur garde-manger portatif leur donne des airs d'escargots supersoniques échappés du jeu Minecraft.

Quelques jours plus tard, je me décide enfin à faire appel aux services de l'un de ces sites de livraison, non sans un soupçon de réticence morale. Venant d'une famille périgourdine qui a pour tradition de constituer annuellement des réserves sous forme de pâtés, confits, magrets séchés et autres bocaux de cèpes – peut-être en vue d'un prochain conflit mondial –, je ne peux m'empêcher d'être dérangé par ce rapport désinvesti à la nourriture. Je pense immanquablement à ma grand-mère qui, animée d'un bon sens paysan, va jusqu'à faire sécher les épluchures de pommes pour en concocter de la tisane. Alors, même si elle titille agréablement l'énorme baobab qui a commencé à pousser au creux de ma main d'urbain délégataire, l'idée de confier à quelqu'un d'autre mon approvisionnement alimentaire me procure incontestablement un sentiment étrange. J'ai l'impression de contrevenir aux règles de survie élémentaires que mes ancêtres ont héritées de l'homme de Cro-Magnon. À ma décharge, il est vrai qu'à l'époque, les services de livraison tels que Allo Resto n'existaient pas encore et personne n'imaginait qu'on pourrait un jour se faire déposer, devant l'entrée de sa caverne, un mammouth rôti aux petits oignons accompagné de sa farandole de baies de saison. Alors qu'un halo de pollution recouvre Paris, je prends mon courage à deux mains et, en inspirant bien fort un grand bol de particules fines, je télécharge l'appli Foodora. Le logo – une cloche d'argent – est sans équivoque : nous sommes bien là dans l'imaginaire du luxe démocratisé. Ma transformation progressive en roitelet urbain est en cours. À peine cette opération basique accomplie, je reçois un sympathique message de bienvenue : «Bonjour, Nicolas, Félicitations! Vous avez créé avec succès votre compte Foodora. Vous pouvez désormais commander auprès de tous vos restaurants préférés. Pour cela, rien de plus simple : commandez votre repas en ligne, il vous sera livré où que vous soyez, chez vous, au bureau ou même dans un parc.» Sur le site, un grand soin est apporté aux photos et, par de subtils effets de flou, burgers au comté et agneau sauce curry accèdent soudain au rang de véritables stars du déjeuner, par la grâce de cette mise en scène vaporeuse digne de David Hamilton.

Après avoir parcouru rapidement l'offre de restaurants, j'opte pour Le Cambodge, un thaï situé à quelques encablures de chez moi. J'y ai mangé jadis, quand je sortais encore régulièrement pour dîner. Ça remonte à il n'y a pas si longtemps, et pourtant il me semble que c'était il y a une éternité. À l'époque, une bande de dingues n'étaient pas encore venus sulfater les terrasses parisiennes à la kalachnikov, en se prenant pour le bras armé de la justice divine. Quitte à rester chez moi, je décide donc de voyager par papilles interposées et commande un plat à la dénomination exotique : le Nom Peuchok. Pour ceux qui en entendraient parler pour la première fois, il s'agit d'un poisson mariné à la citronnelle et au lait de coco, agrémenté de fleur de banane et de cacahuètes, sur un lit de vermicelles de riz, soja, menthe et concombre. Vous comprendrez maintenant pourquoi je regarde de haut les mangeurs de nems industriels. Moins de quinze minutes après mon achat, je reçois une notification encourageante : « Notre coursier a récupéré votre commande. Il est en chemin pour vous livrer. Temps estimé avant la livraison : 4 minutes. » Un plan du quartier, avec un petit pictogramme symbolisant le livreur, me permet de suivre la progression de ce dernier en temps réel. L'alimentation assistée par ordinateur n'est plus une utopie, mais une réalité qui fonce à environ 30 km/h dans ma direction. Progressant dans les artères encombrées de la capitale avec la fulgurance d'un Pac-Man aux trajectoires anguleuses, mon Nom Peuchok se rapproche à grands coups de pédales. Quelques instants plus tard, le coursier sort en marche arrière du minuscule ascenseur qui fait le charme exigu de notre vieil immeuble haussmannien. N'était la couleur rose fuchsia de sa tenue, on pourrait le confondre avec un urgentiste du Samu.

« C'est pas large ! », dis-je au livreur, en vue d'entamer un échange chaleureux. « Oui, j'ai dû enlever le sac… », me répond le jeune homme, en me tendant un magnifique petit paquet couleur caramel, étiqueté à mon nom en grosses lettres majuscules. J'ai soudain l'impression d'être Ryan Gosling à qui on apporte son déjeuner en plein tournage. « Bonne dégustation, bonne journée… », lance le livreur, avant de s'enfuir au pas de course.

Comme il doit gagner sa vie, je comprends qu'il n'ait pas vraiment le temps de faire la causette, qui plus est sur un sujet aussi épineux que l'ergonomie problématique des ascenseurs parisiens. Nous n'avons presque plus le loisir d'échanger des banalités, ça ne rapporte rien. Je suis d'ailleurs étonné que personne n'ait encore mis au point une plateforme « collaborative » permettant de prélever des commissions sur les considérations météorologiques. J'ouvre le paquet, qui contient plusieurs boîtes en plastique. Constat amer : je n'ai pas réussi à sous-traiter pleinement la préparation de ce repas, puisque je dois verser moi-même, manuellement, le lait de coco dans le plat, effort qui reste néanmoins acceptable. Pour fêter la première étape de ce tour du monde gastronomique en direct de chez moi, je vais chercher une véritable assiette à la cuisine. La barquette manque cruellement d'authenticité et manger là-dedans me donnerait l'impression d'être un épagneul abandonné sur une aire d'autoroute. Consciencieux, Foodora m'a laissé un prospectus dans la boîte aux lettres et m'a recontacté par mail afin de me proposer un retour d'expérience. Verdict : c'était bon et, à quelques nanosecondes près, livré à la vitesse de la lumière. Mais je préfère garder ces considérations pour moi. Je n'ai pas envie d'être transformé dès le premier jour en datas, dans le seul but d'être digéré par un algorithme affamé.

Le lendemain, je poursuis mon voyage gastronomique en quittant la Thaïlande pour le Japon et Foodora pour son concurrent Take Eat Easy. Avant de savoir à qui je vais déléguer cette fonction alimentaire stratégique, il est important de bien étudier l'offre disponible. Un soin tout particulier est apporté à l'iconographie du site, qui propulse immédiatement l'utilisateur dans une ambiance bobo-friendly, typique d'un schéma mental en provenance de Brooklyn. La livraison s'effectue «à vélo et avec le sourire». L'image qui accompagne cette promesse de supplément d'âme est celle d'un coursier hipster, équipé d'une casquette à l'envers et d'un vélo vintage, fendant le smog irrespirable des villes avec la décontraction d'une légende instagramée. Cette ode à une authenticité totalement synthétisée en laboratoire produit néanmoins son petit effet. Après m'être localisé sur Google Maps pour permettre au site de trouver mes «restaurants préférés», j'aperçois à l'écran un message qui me place dans la posture inconfortable du lion voyant soudain filer l'antilope : «Nos livraisons sont terminées pour aujourd'hui.» Il n'est pourtant que 13 h 03. Un petit tour d'horizon rapide sur internet m'apprend que la société a été placée en redressement judiciaire. N'ayant pas totalement perdu mes réflexes de survie, j'installe alors l'appli Deliveroo qui, je ne sais trop comment, a réussi à survivre dans ce climat de marigot darwinien. Je suis accueilli à bras ouverts par une photo de pâtes baignant dans de la sauce tomate et un slogan exaltant l'idée de performance contractualisée : «Les meilleurs restaurants de votre quartier livrés en moins de 30 minutes». Efficace et sans chichis, je commande un chirashi.

Le corollaire de ce mouvement de délégation est un enfermement de plus en plus manifeste entre les quatre murs de mon appartement, ermitage fortuit d'où j'observe aux premières loges les pigeons installés en batterie sur la gouttière du toit. Dans les rayons du soleil, leur robe grise et fuchsia est de toute beauté, signe parmi tant d'autres de la magnificence de la nature. Je vois aussi dans l'hôtel juste en face de chez moi un vieux juif orthodoxe qui ne sort jamais de sa chambre et fait parfois des moulinets dans le vide avec une étrange épée. Il profite également des jours de pluie pour se laver la tête par la fenêtre. Vue d'ici, la société me paraît une abstraction de plus en plus lointaine, un ensemble d'enjeux tectoniques qui se superposent en contrebas, au loin, dans un océan de futilité. Ce temps passé à ne rien faire me permet également de gamberger et, tel Batman surplombant Gotham City, d'alimenter mes propres théories complotistes. Ici, au-dessus des toits en zinc de Paris, point de Pingouin maléfique, mais une tentative de manipulation phonétique débusquée par mes soins : si vous prononcez Deliveroo plusieurs fois en mode yaourt, vous entendez un subliminal « délivrez-vous ». Abandonner totalement le projet de se nourrir par soi-même reviendrait-il à briser ses chaînes ? Tiens donc ! En reprenant à son compte l'idée d'une manne providentielle, cette gestion sociotechnique des nécessités premières figure effectivement une sorte de messianisme de la livraison, accompagné d'une promesse corollaire de libération. C'est, laisse entendre le dispositif, parce que je délègue ce qui m'encombre, que j'aurai le loisir d'être enfin révélé à moi-même… Mon chirashi sonne à la porte. Les tranches de poisson sont si fines que je peux presque voir à travers, indice d'un épuisement inquiétant des ressources halieutiques. L'humanité est une étrange peuplade dont la maxime pourrait être celle-ci : Le jour où on aura tué le dernier thon, on ira manger des burritos au Tex Mex.

Une chose semble en revanche ne pas s'épuiser, c'est l'immense quantité de déchets que produit mon nouveau mode d'alimentation. À chaque repas, ma poubelle déborde d'emballages et je sens que mon bilan carbone est loin d'être au top. Pour quelques morceaux de poisson faméliques qui collent aux baguettes comme des timbres-poste, c'est l'équivalent d'un cachalot de plastique que je rejette quotidiennement dans la nature. Par un effet retors de la chaîne alimentaire, je retrouverais de toute façon ces molécules indigestes dans un futur chirashi. Si je réussis la prouesse d'effectuer un tour du monde gastronomique en me tenant à bonne distance de la tourista – j'ai même mangé récemment une cuisse de poulet tandoori très approximative sans subir nulles représailles de mon système digestif –, je dois reconnaître que ce nouveau mode de vie manque cruellement de convivialité. Il n'y a pas l'ombre d'un voisin de table un peu acariâtre à qui je pourrais demander de me passer le sel et, même si mon vis-à-vis juif orthodoxe aurait pu constituer une option, il n'a pas le bras assez long. Se nourrir s'envisage de moins en moins dans le cadre d'une culture avec ses rituels, son rapport charnel aux produits, ses interactions sociales, mais tend à se réduire à une simple fonction d'ingestion et de digestion.

À force d'enchaîner les festins sans produire aucun effort, je suis devenu aussi indolent et adipeux qu'un animal de zoo. Un bourrelet disgracieux a élu domicile au niveau de mon bas-ventre et j'ai dû acheter une fourchette connectée pour tenter d'en juguler la progression. Par de petites vibrations, la 10S Fork m'avertit à chaque fois que mes bouchées deviennent trop frénétiques, m'invitant à une mastication plus lente. Le problème, c'est qu'au lieu de m'apaiser, ces décharges, pareilles aux chocs électriques de l'expérience menée par le psychologue Stanley Milgram, ne font qu'hystériser mes repas. Je laisse donc rapidement tomber ce gadget embarrassant qui pourrait me faire basculer dans le sadomasochisme alimentaire. Arrivé à ce stade, je prends une décision radicale, que je me formule ainsi à moi-même – eh oui, on a tendance à parler tout seul, au bout d'un moment, quand on embrasse ce mode de vie isolationniste : «Quitte à ubériser mon alimentation, autant carrément utiliser les services d'UberEats.» Durant l'inscription, l'ordinateur me demande poliment : «Autorisez-vous UberEats à vous envoyer des notifications ? Les notifications peuvent inclure des alertes, des sons, des pastilles d'icônes. Vous pouvez les configurer dans Réglages.» Aveuglé par la faim, j'appuie mécaniquement sur «Autoriser». Il est 12 h 08. La *timeline* de ma commande s'affiche sur l'écran de mon smartphone. La livraison est prévue pour 12 h 42. Quand soudain, au cœur de ce système quasi utérin où tout me parvient via d'anonymes capillarités ombilicales, survient un bug, un simple bug qui me rappelle brutalement la fragilité de ce système d'approvisionnement. «Quelque chose s'est mal passé», «Ajout adresse échoué», «Requête expirée», me dit le site d'UberEats, tel l'ordinateur de bord en surchauffe de la capsule Apollo 13.

Comme il est bientôt 14 heures, je prends une option totalement inattendue : me nourrir à l'ancienne, par mes propres moyens. J'opte alors pour un plat à la croisée des influences gastronomiques, entre la *junk food* de brasserie et la spécialité auvergnate réinventée : «Croque-monsieur artisanal et sa farandole d'endives aux noix». Bon, il est vrai que le pain de mie est périmé depuis quatre jours mais, après tout, sait-on réellement ce qu'on mange quand on s'en remet aveuglément aux cuisines des restaurants ? Tel le chasseur-cueilleur

préhistorique, je réactive alors des gestes ancestraux, enfouis au plus profond de moi, comme on
soufflerait sur les braises pas tout à fait éteintes
d'un savoir-faire immémorial : beurrer le pain de
mie aux quatre coins sans oublier le centre, trancher de fines lamelles de fromage, découper le
jambon et mettre tout cela à cuire à feu doux. Je
redécouvre, avec un plaisir délectable, le travail de
la main, et par là même cette évidence pluriséculaire : l'homme est dans le fond moins «client
Foodora» que «Homo Faber». Le dialogue sensuel
avec la matérialité du monde fait partie intégrante
de son édification. Manger un croque-monsieur
que l'on a fabriqué de ses mains – fut-ce avec des
ingrédients périmés – a tout d'une petite victoire.
Porté par mon inspiration, je jette à la volée
quelques pincées de curcuma dans la sauce vinaigrette. Oui, je suis moi aussi capable de poésie
culinaire! Ce plat pourrait même devenir, si je le
perfectionne un peu, mon «plat signature». J'ouvrirais alors mon resto avec des tables en formica,
du béton brut aux murs et de grandes appliques
cuivrées au plafond. Le menu unique serait inscrit
sur des ardoises vintage, car les estomacs gavés
de trop d'options sont avides de choix dictatoriaux : «Croque-monsieur artisanal et sa farandole

d'endives aux noix. Vinaigrette au curcuma. Et si t'es pas content, tu vas te faire cuire un œuf à la coque ! Prix : 21,50 euros. » Avec des tarifs prohibitifs, je vendrais alors à des urbains déphasés, avec un grand sourire inquiétant et une fine moustache bouclée, le mythe ardent d'un cuistotalitarisme à la française.

CHAPITRE 5

Comment, en prévision d'un hypothétique célibat, j'ai voulu tester par procuration la drague par délégation

Service testé : Net Dating Assistant

Depuis que j'en ai découvert l'existence il y a quelques mois, j'ai le projet plus ou moins avouable de tester les services du site Net Dating Assistant. Cette plateforme réunit des experts en séduction qui se proposent de draguer en ligne à ma place, à la vôtre aussi, inaugurant la possibilité d'une sous-traitance industrialisée dans le domaine subtil des sentiments – et du sexe, ne soyons pas naïfs. « Devenez irrésistible sur les sites de rencontres et obtenez sans effort un rendez-vous avec (le) la célibataire de vos rêves », promet le site, sur sa page d'accueil. Pourquoi s'encombrer avec ce long processus d'approche bavard lorsqu'un cyber-Cyrano, profitant de l'anonymat de l'écran, peut s'en charger avec une efficacité décuplée par son absence d'implication affective ? « Ne sacrifiez plus vos soirées sur l'écran», «Profitez de votre temps libre pour vivre pleinement», argumente Net Dating Assistant. Dans la vision du monde charriée par ce «facilitateur de rencontres», ce qui est jugé banal ou improductif est susceptible d'être voué à la sous-traitance et ce, dans le but de pouvoir se concentrer sur l'essentiel. Mais quel est cet essentiel? Il se situe dans la quête d'un noyau d'intensité fantasmé, une vie débarrassée de sa gangue d'impureté, un condensé d'expérience singulière et irradiante où l'être accéderait enfin à sa vérité nucléaire, à sa pleine réalisation. Une fois soulagé du lent et difficile travail d'approche, vous n'avez plus alors, comme dans un bon vieux théâtre de boulevard, qu'à entrer en scène au dernier moment par une porte dérobée, tel Belmondo déboulant en caleçon et en peignoir de satin. La séduction, ici, n'est plus envisagée comme un processus global dont chaque étape participerait à une totalité sensuelle allant crescendo, mais au contraire comme une série de figures imposées rébarbatives, vues comme autant de barrières à lever avant d'accéder à la jouissance finale. Consacrant l'inutilité du chemin, seul semble ici compter l'hédonisme conclusif. Si l'on en croit ce nouveau schéma, la vie ne vaudrait alors d'être vécue que comme orgasme permanent. Malgré son incroyable attrait en termes ethnologiques, cette expérience est loin d'être évidente à mettre en œuvre. Je me heurte, en l'occurrence, à plusieurs écueils. Au premier rang desquels ma femme, qui n'est pas du tout enthousiasmée par ce projet. Ce que je peux aisément comprendre. Même si j'ai une conscience professionnelle très aiguisée, je n'envisage pas de la tromper pour les besoins de cette enquête, et risquer de mettre à mal plusieurs années de vie commune sans nuages – à part peut-être, çà et là, quelques stratus. D'un autre côté, laisser en plan la demoiselle qui aura été préalablement séduite avec flamme par les envolées textuelles du Net Dating Assistant confinerait à la goujaterie la plus totale.

Quelque chose donc, dans cette expérience, ne tient pas debout. C'est pour toutes ces raisons que j'ai décidé de déléguer à un collègue journaliste ce chapitre sur la sous-traitance de la drague en ligne. De la délégation au carré, en somme. Par un beau jour d'avril, Jo, un Savoyard aiguillonné par un récent célibat, entre en scène avec la lourde tâche d'interpréter mon rôle dans ce vaudeville largement improvisé. Après avoir cliqué sur «Commencez maintenant», Jo reçoit un mail de Vincent, le fondateur du site, lui expliquant qu'il va devoir se prêter à un entretien préliminaire. L'objectif : déterminer s'il est éligible ou non. En effet, la plateforme n'assiste pas tous les célibataires, mais uniquement ceux qui ont, selon elle, un potentiel d'attractivité avéré. Comme le client est remboursé s'il n'obtient pas satisfaction, Net Dating Assistant espère ainsi maximiser ses chances de réussite, renforçant un darwinisme déjà à l'œuvre dans l'univers extrêmement concurrentiel de la séduction numérique. Rendez-vous est pris pour un entretien téléphonique poussé. Quelques jours plus tard, au bout du fil, Vincent veut savoir si son client potentiel est célibataire depuis longtemps (non) et quel est son état d'esprit (bon). «Vous recherchez une relation durable ou vous n'avez simplement pas envie de vous prendre la tête ?» demande Vincent. Jo valide la seconde option. Avec le vermouth et le fromage fondu, ne pas se prendre la tête est sans doute ce que Jo aime le plus au monde. Pour devenir éligible, certains éléments plaident incontestablement en faveur de ma doublure, comme son âge, 45 ans, et le fait qu'il habite à Paris, énorme vivier d'âmes esseulées. «Si vous étiez un paysan de Lozère souhaitant rencontrer exclusivement des Bélier ascendant Vierge, ça risquerait d'être compliqué. Mais vous, 45 ans, à Paris, cherchant une fille dix ans plus jeune que vous, c'est du classique», commente Vincent, optimiste quant aux chances de succès de cette entreprise. Le service promet au minimum une rencontre par mois. Le client a le droit de refuser les profils qu'on lui propose s'ils ne sont pas à son goût. «À chaque fois, c'est vous qui nous dites : feu vert ou feu rouge. Si vous trouvez Caroline trop grosse, ou trop petite, on laisse tomber et on en cherche une autre», ajoute Vincent, ardent promoteur d'un consumérisme amoureux totalement décomplexé.

Cette phase d'entretien préliminaire se déroule sans que l'examinateur n'ait encore vu à quoi ressemble le prétendant. Une prise de risque pour l'entreprise, dont le responsable revendique un taux de remboursement de 15 %. Ayant passé avec succès la phase de sélection, Jo se voit rapidement attribuer un conseiller personnel qui lui permettra de connaître un «succès amélioré». Lorsqu'il demande ce que cela signifie, on lui explique qu'il pourra ainsi décrocher des rendez-vous avec des femmes auxquelles il n'aurait jamais pu prétendre seul, soit à peu près le même discours que tiendrait un courtier bancaire sur le thème des taux de crédit. Le succès actuel de la sous-traitance s'accompagne d'une extension rapide des domaines d'expertise. Dans cette nouvelle forme de dérégulation, on voit émerger des professionnels prétendant gérer mieux que vous des pans entiers de l'existence qui relevaient jusqu'alors de l'intime. À ce stade, il n'y a plus qu'à s'acquitter du montant du Start pack, soit 470 euros, passeport pour l'optimisation de la personne sur le marché de la rencontre. Deux jours plus tard, Jo reçoit un mail de Denis, son Dating Assistant, qui souhaite mieux le connaître, afin de pouvoir créer «un profil irrésistible et authentique». Fort de quelques clichés qui avaient produit leur petit effet l'année dernière sur Tinder, Jo envoie en confiance ses photos personnelles à son nouveau conseiller. «Elles ne sont pas mal, mais je vous invite à passer par un photographe professionnel», commente Denis, qui en profite pour proposer un shooting à 150 euros. Il est capital d'apparaître «séduisant, sympathique et confiant». Jo décline l'offre. Denis poursuit ses investigations et veut savoir si son client accorde de l'importance à l'origine ethnique de ses futures conquêtes, à leur look, leur niveau social, leurs orientations politiques ou religieuses, leur consommation d'alcool ou de tabac. Mais Jo se déclare ouvert à tout, tant que la fille est jolie, assez mince et si possible pas trop grande. Il livre par ailleurs à son conseiller un ensemble d'informations personnelles, de son métier à son poids, de ses origines savoyardes à son habitude de cuisiner de manière obsessionnelle des saucisses au vin blanc. Autant de détails qui faciliteront l'usurpation consentie d'identité, permettant de parsemer la conversation de détails confondants.

Denis fait savoir qu'il va utiliser, comme terrain de chasse, le site de rencontres Adopte un mec, lequel repose sur un principe relationnel simple : la possibilité de lancer des «charmes», afin d'interpeller les demoiselles ciblées. L'outil serait particulièrement adéquat à la stratégie que Denis prévoit d'employer, soit un véritable Blitzkrieg qu'il explique en ces termes : «Pour aller plus vite, j'utilise la technique dite du "carpet bombing". J'envoie des "charmes", trente à quarante chaque jour, comme un tapis de bombes. Puis je fais le tri et pars à l'abordage.» Le vocabulaire employé est étonnamment martial. Le romantisme a ici cédé la place à une métaphore où domine l'image de la guerre, de la prédation, et parfois de la boucherie industrielle. Denis a demandé un délai de réflexion pour «laisser infuser» la masse d'informations qu'il a collectées. Ce délai doit également lui permettre d'écrire «un texte sympa, un peu drôle, efficace et pertinent». Quelques jours plus tard, Denis est de retour avec un profil en béton. En s'inspirant d'une obscure légende savoyarde, il a attribué à Jo le pseudo «Trois Brindilles». Pas vraiment valorisant, se dit Jo. Ce surnom fait plutôt penser à un scout prépubère parti chercher du bois humide qu'à un viril bûcheron de Haute-Savoie. Jo se demande d'ailleurs comment il réussira à assumer ce stigmate ridicule lors du rendez-vous en face-à-face. Peut-on imaginer sérieusement une nuit d'amour torride avec un type qui s'appelle Trois Brindilles? Dans la case «Recherche», le Net Dating Assistant a noté :

«Recherche celle qui voudra explorer, voyager, découvrir !
Recherche celle qui me surprendra et pas en criant "bouh" !
Recherche celle qui a peur des araignées et que je rassurerai.
Recherche celle qui fait les soldes avant les soldes et après les soldes.
Recherche celle qui me laissera m'enfermer pour bosser mon prochain livre.

Recherche celle qui sait qu'il faut avoir un peu souffert pour être heureux. »

C'est beau comme du Verlaine. Quant au petit texte de présentation que Denis a rédigé, il sent si fort l'attachement aux racines régionales et l'amour des choses vraies qu'il en est presque plus caricatural qu'une paire de skis en faux bois vendue dans une aire d'autoroute de Tarentaise : « Savoyard égaré dans la grande ville, j'ai même trouvé une montagne pour y vivre ! Pour dire comme c'est important pour moi ! Passionné par les gens, les amis, la nature, révulsé par les faux-semblants, les hypocrisies, je mène ma vie comme une enquête sur le sens des choses. Un sentimental qui a aussi besoin de se retrouver. » L'allergie déclarée aux faux-semblants s'avère cocasse, vu la situation. Quant à cette mention à l'« enquête », elle n'est certainement pas anodine. À force de questions insistantes, Jo a fini par éveiller les soupçons de l'équipe de Net Dating Assistant, qui se demande si ce Savoyard travaillant prétendument dans la com ne serait pas, en réalité, un journaliste infiltré. Les professionnels de la manipulation n'entendent pas se faire manipuler aussi facilement. Alors que le déclenchement de l'opération « carpet bombing » est imminent, Vincent, le boss de la plateforme, envoie un mail à Jo sobrement intitulé «Remboursement». Après avoir effectué des recherches sur les réseaux sociaux, ce fin limier a en effet découvert plusieurs publications mentionnant la qualité de journaliste de son client. Du coup, il ne serait plus envisageable de lui organiser des rencontres. Ah bon, les journalistes n'ont pas le droit de sous-traiter leur drague? Le service «n'est pas adapté à tous les célibataires, ni à tous les types de recherche», précise Vincent, dans un dernier mail, avant de rompre définitivement le contact. À le lire, on se dit que l'existence, telle qu'elle est conçue aujourd'hui, n'est plus réellement pensée pour les gens, mais pour leurs profils. Votre profil, c'est d'une certaine manière votre Moi médian, où chacune de vos aspérités doit être gommée pour huiler le fonctionnement de la grande machine algorithmique. L'ambition secrète de cette mécanique est d'optimiser la vie, tout en la vidant, paradoxalement, de sa substance. Dans ce vaste mouvement d'avatarisation de l'être, ce sont nos doubles numériques qui vivent à notre place des vies rêvées, emplies de rencontres bouleversantes, de plats succulents, de destinations exotiques, de photos capturant l'instant présent dans leurs filtres sépia pour en restituer une digestion chromatique sans défaut.

Après cette expérience avortée, je prends un verre en terrasse avec mon sous-traitant pour faire le point. Nous vidons quelques pintes de bière à l'ombre des grands arbres qui rafraîchissent les allées du parc des Buttes-Chaumont en cette chaude soirée de printemps. Trois Brindilles, euh, Jo, pardon, me confie qu'il ne croit pas énormément au livre que je suis en train d'écrire, ayant le sentiment que mon approche est un peu trop désinvolte. «Mais justement, c'est ça la vraie délégation, lui dis-je. S'en remettre complètement à l'autre. En réalité, j'avais espéré que, grâce à l'abonnement que j'ai financé, tu vives une vraie *love story*. Et que cette *love story* devienne, par la suite, le cœur palpitant de mon livre.» Alors, dans l'éventualité où mon ouvrage deviendrait un best-seller mondial grâce au magnétisme de ce chapitre sur la délégation de la drague, mon sous-traitant aimerait savoir s'il empocherait des royalties? À vrai dire, je n'en sais rien. Mais il y a au moins deux choses dont je suis sûr : nous allons reprendre une tournée, et l'infiltration de Ned Dating Assistant n'est que partie remise.

CHAPITRE 6

Comment j'ai été pris pour un idiot par un algorithme fan d'Adam Sandler, chargé d'effectuer les choix culturels à ma place

Services testés : Netflix, And Chill, Napflix

Quand il a déjà eu à trancher entre slip ou caleçon, tartine ou céréales, métro ou Vélib, chinois ou japonais, riz ou nouilles, thé ou café, avec ou sans sucre, Tinder ou Meetic, le soir venu, l'homme occidental, cet ancien conquérant épuisé, n'a plus la force d'effectuer un choix digne de ce nom entre les séries *Stranger Things* et *The Big Bang Theory*. Roy Baumeister, chercheur en psychologie sociale à l'université d'État de Floride, a appelé ce syndrome la «*décision fatigue*». Si Mark Zuckerberg s'habille tous les jours de la même façon, enfilant systématiquement un jean informe, un tee-shirt informe et un hoodie informe, c'est parce que le patron de Facebook a compris qu'il fallait limiter l'énergie allouée à ce type de microdécisions improductives, pour se concentrer sur la définition des grandes options stratégiques. C'est donc pour m'inscrire dans le sillage de ce minimalisme décisionnel que j'ai choisi de déléguer à la machine le fardeau consistant à trouver le bon programme parmi les centaines, les milliers de possibilités culturelles qui me font de l'œil derrière le paravent vitré des écrans. Mon arme fatale : l'algorithme de Netflix. Pour un simple abonnement s'élevant à 7,99 euros par mois, la plateforme de vidéos à la demande propose, en plus de son catalogue de séries et de films, une technologie qui ambitionne de m'assister dans le tri des options pléthoriques dont elle me bombarde par ailleurs. Netflix fournit à la fois le poison et l'antidote, ce qui pourrait constituer une définition acceptable de ce qu'est un écosystème numérique. Dès la validation de mon inscription, l'interface me demande de sélectionner trois programmes que j'apprécie particulièrement, afin de commencer à renseigner mon profil. Celui-ci est symbolisé par un smiley à tête carrée. Alors que l'individu tend aujourd'hui à se résumer à une simple surface, manifestation cosmétique de lui-même, le substrat sur lequel ses choix pouvaient s'enraciner est fragilisé. Dans bien des cas, le choix est moins l'expression d'une singularité à l'œuvre que la conformation à une option médiane, sociale-ment éprouvée. Caché derrière cet avatar anguleux, j'opte pour *Breaking Bad*, parce que Walter White incarne une révolte warholisée attractive et que j'ai le sentiment de me situer par-là dans une norme culturelle qui me rapproche de mes contemporains. *Black Mirror*, parce que l'épisode que j'ai vu sur le thème de la téléréalité m'a fait l'effet de la pilule rouge dans *Matrix*. Et *The OA*, parce que tout le monde en parle et que je ne veux pas qu'un algorithme que je ne connais pas me prenne pour un ringard dès notre premier contact. Après quelques visionnages, je reçois un mail me demandant d'évaluer les programmes que j'ai vus, grâce à un système rappelant la signalétique des jeux du cirque : «Dites-nous ce que vous aimez avec un pouce levé ou un pouce baissé.» *La vie rêvée de Walter Mitty*? Pouce vers le haut. *iBoy*? Pouce vers le bas. *The Do-Over*? Je ne sais plus très bien. À vrai dire, je crois m'être endormi au bout de quelques minutes. Mais je n'en suis pas bien sûr. Je ne voudrais pas statuer à la légère à propos de cette histoire narrant les aventures d'un directeur de banque qui, sur les conseils d'un ami interprété par Adam Sandler, fait croire qu'il est mort afin de recommencer sa vie à zéro. Je regarde alors rapidement les «Critiques des utilisateurs» pour me faire une idée. Ce n'est rien de dire que les avis sont contrastés, et que de ce contraste jaillit rarement la lumière… Avis 1 : «Je ne suis pas trop fan d'Adam Sandler, mais je dois dire que le film est vraiment sympathique. Drôle, avec des situations assez loufoques, et vraiment fait pour ne pas se prendre la tête. Une bonne comédie à voir au moins une fois.» Avis 2 : «Adam Sandler est mou et n'y croit pas, David Spade fait du David Spade, Paula Patton est hypersexy mais tient probablement le pire rôle de sa carrière, le scénario est prévisible, indigent et lamentable. Une comédie oubliable remplie de gags pas drôles…» Cette critique, qui a été jugée «utile» par 17 utilisateurs sur 27, me laisse quant à moi totalement déboussolé. Que penser ? *The Do-Over* est-il un film recommandable ou non ? Pouce levé ou pouce baissé ? Comme je ne veux absolument pas fausser le bon fonctionnement de l'algorithme de Netflix en y introduisant une variable approximative, je décide de regarder à nouveau *The Do-Over* pour pouvoir l'évaluer correctement. Sinon, je ne pourrais pas venir me plaindre quand l'algorithme me fera des suggestions qui n'ont rien à voir avec mes goûts. Après l'avoir visionné en accéléré, il faut bien avouer que je le trouve plutôt pas mal ce film, d'une absurdité divertissante qui colle parfaitement à mon projet de relaxation mentale. Même si je conçois que ce film ne va pas révolutionner l'histoire de la comédie, mon jugement est sans appel : pouce vers le haut. J'ai presque l'impression d'être dans la peau d'un Néron de la société du spectacle, ayant pouvoir de vie et de mort sur les produits culturels qui défilent devant moi pour me divertir. On pourrait même imaginer compléter ce dispositif par un système d'arène virtuelle où, en cas de pouce vers le bas, la série ou le film sans intérêt serait dévoré par des lions pixélisés.

Maintenant que j'ai Netflix, me voilà atteint d'un nouveau mal étrange : le syndrome du buffet à volonté. Ce qui se passe avec les nems et les raviolis vapeur advient également avec les productions culturelles. Comme dans les restaurants où l'on peut reprendre cinquante-cinq fois du poulet aux champignons noirs, la profusion de l'offre conduit ici à s'empiffrer jusqu'à l'écœurement, en une sorte d'orgie qui finit par étouffer, sous la compulsion, toute forme de désir. Il faut dire que les mets sont appétissants. Des saisons entières d'œuvres aussi alléchantes que *Twin Peaks, Bojack Horseman* ou *Sense 8* sont là, à portée de rétine, prêtes à être englouties lors de soirées de visionnage interminables. Si vous n'intervenez pas pour les stopper, les épisodes défilent alors les uns derrière les autres, *cliffhanger* après *cliffhanger*. Imperceptiblement, se divertir devient alors une forme de nouveau travail métabolique où il s'agit de cultiver sa capacité d'ingestion, le spectateur ayant vocation à devenir un réceptacle zombifié au service de la multinationale de vidéos à la demande. Dieu merci, sans que je sache réellement ni pourquoi ni comment, je sécrète une forme d'antidote naturel à cette envoûtante magie spectaculaire. Même lorsque je n'ai pas forcé sur le côtes-du-Roussillon, j'ai pour particularité de m'endormir quasi systématiquement devant les films que je regarde, le plus souvent en position horizontale, sur mon lit. Cela n'a rien à voir avec la qualité du divertissement en question mais procède plutôt d'un phénomène de narcolepsie culturelle dont je ne connais pas vraiment les raisons profondes. Ma compagne, qui visionne généralement autre chose sur la télé du salon, intervient alors valeureusement pour interrompre le programme, dont les intrigues n'ont plus de spectateur conscient. Cette réaction biologique particulière aux images n'est pas sans poser un problème de fond. Très pointu, l'algorithme comptabilise toutes les fois où j'ai stoppé le visionnage d'un film avant la fin, associant cette interruption à une forme de rejet, exactement comme un pouce vers le bas. Sauf que voilà, ce que ne sait pas l'algorithme, c'est que j'ai peut-être trouvé le début du film génial et que j'aurais réellement adoré savoir comment il se termine. Pour certains d'entre eux, comme *Zero Dark Thirty* de Kathryn Bigelow, je m'y suis même repris à trois fois, sans réussir à dépasser la moitié du long-métrage. Sa qualité n'a pourtant rien à voir là-dedans. Et même si je sais que – attention, spoiler ! – Oussama Ben Laden se fait tuer à la fin, j'aurais bien aimé découvrir en détail de quelle manière le commando des Navy Seals s'y est pris.

Voilà à peu près où j'en étais de mes relations complexes à l'algorithme lorsque celui-ci m'a fait ses premières suggestions. Via une alerte mail, il me propose de regarder *Iron Fist*, la nouvelle série Marvel, soit l'épopée d'un type au poing d'acier dont tout le monde dit qu'elle est nulle. Et, deuxième suggestion, *Chasing Monsters*, une série documentaire qui suit l'aventurier Cyril Chauquet dans sa traque de créatures marines surdimensionnées. «Faut être dingue, tu vas te ruiner les mains. T'auras plus que des lambeaux à la place des doigts», s'inquiète un pêcheur local, alors que l'intrépide Cyril s'apprête à aller traquer à mains nues, avec une corde et un crochet tout de même, l'impressionnant mérou Goliath, poisson titan qui peut atteindre jusqu'à 450 kg. L'eau est trouble, un orage menace et des requins infestent les environs. L'ambiance de ma chambre à coucher, transformée en bayou, est électrique. Même si j'apprécie le fait que Cyril ne tue pas les poissons qu'il attrape, cette mise en scène grandiloquente de l'instinct de prédation ne m'emballe que moyennement. Pouce vers le bas. Idem pour *Iron Fist*, dont l'esthétique en carton-pâte me laisse de marbre. Du kung-fu de seconde zone, de la pêche au gros, scénarisée comme un film catastrophe de Roland Emmerich, pas de quoi sauter au plafond. C'est normal, me dis-je, l'algorithme ne me connaît pas encore très bien. Ce qui se confirme, quelques jours plus tard, lorsqu'il m'invite à regarder *Very Bad Trip 3*, que j'ai déjà vu à de nombreuses reprises sur d'autres supports, dans ma vie pré-Netflix. Je reçois dans la foulée un message engageant : «Nicolas, nous venons d'ajouter un film qui devrait vous plaire!» Je clique sur le lien : ce blockbuster taillé pour coller au millimètre à mes goûts s'intitule *Arnaque à la carte*. Après un petit quart d'heure, je me dis que le titre pourrait tout à fait s'appliquer à la tournure que prennent mes relations avec Netflix. Ce film est en effet tellement mauvais que je ne vois pas comment on a pu me le proposer, à moins que l'algorithme ne soit en train de pratiquer une forme de méta-humour mettant en scène, au travers de sa sélection, la réalité de mon humeur intérieure (oui, c'est ça, un sentiment d'arnaque de plus en plus manifeste).

L'autre option – la plus probable – est que cette interface a commencé à me prendre pour un crétin. Je ne sais pas comment c'est arrivé, mais il semble qu'il y ait, entre nous, un vrai malentendu. Pour comprendre comment j'ai pu donner une telle image de moi, je plonge dans mon historique de consommation. Et effectivement, celui-ci n'est pas très brillant. Sans doute à l'occasion de moments de laisser-aller dont je n'envisageais pas qu'ils contribueraient si activement à affiner mon profil, j'ai regardé *Sharknado 3*, un film sur les tornades de requins, *Jackass*, *Conan le barbare*, *Les lapins crétins*, *Les mémoires d'un assassin international*, *Scary Movie 4*, *i-Spy*, *Macho*... Bref, un ensemble d'inavouables navets. Comme j'ai également vu quelques-uns des nombreux films avec Adam Sandler qui encombrent la plateforme, l'algorithme commence à m'en proposer de lui-même, imaginant peut-être que je suis un fan inconditionnel de ce comédien.

À force de suggestions contestables, j'en viens à me demander si le problème n'est pas tant l'image que je donne à l'algorithme que l'image que l'algorithme me renvoie. Suis-je coincé dans cette fameuse bulle de filtres qui résume la réalité à un dialogue étouffant entre moi et mon reflet monstrueux dans le miroir numérique ? Par ses subtiles déformations, ce double ne m'invite-t-il pas subrepticement à me conformer au portrait qu'il dresse, afin de cornaquer mes goûts pour que ces derniers collent à l'offre de la plateforme ? À force de voir en moi ce type qui adore Adam Sandler, je pourrais en venir à dire, un jour, comme quelqu'un à qui on aurait implanté de faux souvenirs au fond de crâne : « Ouais, j'ai toujours été fan d'Adam Sandler, il me faisait déjà rire quand j'étais au collège. Ce mec est mortel ! » À ce stade, force est de constater qu'on a quitté les rives de la simple suggestion pour s'approcher de celles, plus inquiétantes, plus troubles, de la mise sous tutelle psychologique : « Mais si, tu sais bien, tu adores Adam Sandler, fais-moi confiance », me susurre à l'oreille le boa algorithmique, histoire de finir par étouffer toute velléité personnelle sous ses recommandations constrictor. Je voulais juste une aide à la décision, je me retrouve avec un mentor encombrant, bien décidé à prendre le contrôle de ma propre intimité. L'algorithme semble d'ailleurs si bien me connaître que chaque film est assorti d'un pourcentage matérialisant mon adhésion supposée. Le spectacle *Gad Elmaleh part en live* est censé me correspondre à 95 %, alors que je ne supporte pas l'humour de ce type. Est-ce parce que Dave Chappelle est noir que son spectacle ne m'est recommandé qu'à 61 % ? L'algorithme imagine-t-il que je suis le correspondant européen du Ku Klux Klan ? Autre curiosité de taille : *Black Mirror*, que j'ai pourtant mentionné dans mes choix préférentiels, ne m'est recommandé qu'à 72 %. Non content de me persuader que j'aime des choses que je n'aime pas, l'algorithme tente maintenant de me convaincre que je n'aime pas les choses que j'aime.

Pour essayer de mieux comprendre le fonctionnement de cette équation mystérieuse, je décide de regarder la série *Marseille*. Elle fait partie de ces productions que Netflix a réalisées en sondant l'« âme » de son public. Ce divertissement n'est donc pas une simple image miroir de Moi, mais une image de Nous, le Nous étant l'ensemble hétéroclite des téléspectateurs français dont les goûts ont été disséqués puis recomposés pour leur être resservis sous la forme de ce qui peut s'apparenter à du surimi culturel. Logiquement, *Marseille* m'est recommandé à 92 %. Le pitch tient en trois lignes : «Une ville débordant de secrets. Une dynastie bâtie sur le mensonge. Et un acte de trahison qui risque de tout détruire.» Ce *House of Cards* parfumé à la bouillabaisse s'ouvre sur le dos imposant de Gérard Depardieu sniffant une ligne de coke. Tout est ici caricatural, réchauffé, comme ces soupes de poissons pour touristes vendues aux abords du Vieux-Port. Caméra hystérique, violence gratuite, sexe naturaliste : on a moins le sentiment de voir une «œuvre originale», qu'un agrégat de recettes déjà éprouvées. Benoît Magimel, imitant très mal l'accent du Sud, finit par faire de *Marseille* un véritable naufrage. Comment un tel nanar peut-il m'être recommandé à 92 % ? De toute façon, à quoi bon ce système de recommandations, puisque toutes les images produisent sur moi le même effet sédatif ?

Le lendemain, je reprends confiance en découvrant sur internet l'existence de And Chill, un agent conversationnel qui aide les égarés culturels comme moi à faire leurs choix. L'intelligence artificielle s'exprime en anglais et me promet que «je peux dire tout ce que je veux sur mes préférences cinématographiques, elle me comprendra». C'est tellement important de se sentir compris de nos jours, même si c'est de façon automatisée. Je dis ce qui me passe par la tête sur le moment : «J'aime bien *Tonnerre sous les tropiques* et les blagues sur le Vietnam.» And Chill me propose alors, via des liens Youtube, de visionner deux trailers, dont un qui ne fonctionne pas. La seconde bande-annonce est celle de *L'An 1 : Des débuts difficiles,* un film de Harold Ramis avec Jack Black et Michael Cera. Soit l'histoire de deux obsédés sexuels préhistoriques, si incapables qu'ils finissent par être chassés de leur tribu et atterrissent, par la magie de l'uchronie, en plein Sodome et Gomorrhe. Oui, ce film à la débilité assumée pourrait me plaire, ce qui me redonne un soupçon d'espoir quant aux capacités de l'intelligence artificielle.

Mais, quitte à déléguer, je préfère finalement m'en remettre à une vision encore plus programmatique de l'existence. Si la culture de masse a pour fonction de me plonger dans un semi-coma, pourquoi ne pas rationaliser cette procédure d'anesthésie en m'en remettant aux choix de Napflix ? Conçue par deux Espagnols pour favoriser la sieste, cette plateforme aussi moelleuse qu'un oreiller de plumes compile d'interminables vidéos de curling, d'étapes du Tour de France et de documentaires sur la vie des pandas. De plus, cette rampe de lancement vers le sommeil a la bonne idée de diminuer la luminosité de l'écran au fur et à mesure de l'assoupissement du télé-spectateur. Ce concentré de technologie produira, à coup sûr, l'effet escompté : le repos de l'esprit. Après avoir regardé quelques poulets tourner dans une rôtissoire et un bout de reportage sur l'incroyable histoire du Tupperware, je m'oriente vers un film où Matthew McConaughey, attablé dans la pénombre d'un café, contemple la pluie en train de tomber. Quelques paroles éparses prononcées d'une voix grave accompagnent le staccato des gouttes. La scène fait penser à un tableau d'Edward Hopper dont les éléments s'agiteraient mollement, avec la conviction languide d'une colonie d'anémones neurasthéniques. À travers cette douce hypnose, l'industrie culturelle affiche enfin son projet véritable en toute transparence. La fable d'une hypothétique transcendance esthétique m'est ici épargnée. Libéré de l'épuisant devoir d'éveil qui accompagne la consommation des images, me voilà enfin prêt à m'abandonner à la promesse soporifique de Napflix. Mais, bizarrement, les minutes passant, mon attention ne faiblit pas, et je regarde jusqu'au bout ce film étrangement captivant, voyage au cœur d'un territoire visuellement inexploré : le vide.

CHAPITRE 7

Comment, au risque de devenir un demeuré de la domotique, je me suis inspiré de Donald Trump pour administrer mes achats de préservatifs (et de sacs-poubelle) à l'aide d'un simple bouton

Service testé : Dash Button

Les détails qui peuvent laisser supposer que vous concourez pour le titre illusoire de maître du monde sont parfois excessivement ridicules. Ainsi, Donald Trump dispose d'un système de commande un peu spécial, expression paroxystique du pouvoir presque sans limites que lui confère son statut de chef de la première puissance mondiale. Un bouton rouge, placé sur son bureau, lui permet de se faire livrer à tout moment, d'une simple pression du doigt, par un major-dome, un Coca-Cola, donnant ainsi le sentiment que les forces de l'univers convergent pour satisfaire son désir. L'idée que le bouton déclenchant les frappes nucléaires se trouve peut-être juste à

côté est tout de même assez cocasse. Cette colli-
sion dans l'imaginaire entre un soda glacé et un
champignon incandescent dit bien le caractère
effrayant de ce dispositif apparemment anodin,
mais en réalité totalement démiurgique. Comme
Michel-Ange l'a suggéré dans la chapelle Sixtine,
la puissance serait donc cette capacité à faire apparaître, d'un simple frôlement de l'index, tout ce que
l'on veut, un souffle de vie, un rafraîchissement ou
une dévastation atomique : « Oh, mince, désolé, je
voulais juste commander un Coca Zero et j'ai fait
disparaître la Corée du Nord ! Promis, la prochaine
fois, je ferai un peu plus attention ! » Dans un même
registre opératoire, une paire de baskets connectées
permet aujourd'hui, après une simple pression sur
la languette, de commander une pizza sans bouger
de son fauteuil. Même si je ne postule ni au titre de
pseudo-maître du monde, ni à celui de basketteur
obèse, ce dispositif technique a attiré mon attention par son ingéniosité, car il répond parfaitement
à la problématique de sous-traitance existentielle
dans laquelle je me suis embarqué. Qui d'autre plus
que le président des États-Unis a besoin de déléguer le superflu de ses tâches quotidiennes pour
se concentrer pleinement sur l'essentiel, à savoir
veiller à la bonne marche du chaos mondial ?

Tout en restant dans l'optique low cost correspondant à mon budget, je décide de m'équiper d'un bouton équivalent à celui qui permet à Trump d'obtenir son Coca sans effort, dispositif désormais accessible au commun des mortels au tarif d'un simple abonnement à Amazon Premium : 49 euros annuels, séries en streaming comprises. À ce prix-là, il n'y a aucune raison de passer par le laborieux processus électoral américain. Ce système prétendument révolutionnaire se nomme le «Dash Button». Malgré la proximité phonétique, rien à voir avec Daesh. Pour bien comprendre comment fonctionne le Dash Button, il suffit de regarder le clip de promotion qui met en scène des situations du quotidien auxquelles cette technologie futuriste est censée apporter une réponse. «Ne laissez pas un produit épuisé vous gâcher la journée», martèle le clip, semblant tout droit sortir du cerveau vintage d'un publicitaire de la série *Mad Men*. Pris dans la frénésie des jours qui passent, vous enchaînez les lessives sans vous apercevoir que votre stock de dosettes diminue à vue d'œil. De même pour les rasoirs : à force de batailler avec vos poils rebelles dans la pâleur des petits matins embrumés, vous ne voyez pas que votre armada de lames tranchantes est en déroute. Lorsqu'un jour, horreur, votre main plonge dans le sachet vide et l'évidence vous saute à la figure, déjà copieusement tartinée de mousse à raser... Au cœur de notre monde d'opulence, dans ce supermarché à ciel ouvert où les périodes de soldes ont remplacé la ronde des saisons, vous voilà bizarrement contraint d'affronter une véritable pénurie qui vous place dans la situation quasi inextricable du Cubain en quête d'un joint de robinetterie. Pénurie s'accompagnant d'une perspective tout aussi cauchemardesque : celle de sortir de votre appartement pour aller acheter des rasoirs, de la lessive, du savon, des sacs-poubelle, soit rien moins qu'affronter le monde, la caisse du supermarché, les microbes, l'hypothèse d'une attaque kamikaze, d'une chute de météorite, d'un chauffeur fou au passage piéton... Avec le Dash Button, tout cela est censé ne plus jamais arriver. Vous êtes comme Trump dans son Bureau ovale, pilotant le monde depuis le confort ouaté de votre cocon décisionnel. «Ne soyez jamais à court de vos produits du quotidien», poursuit le clip de promotion, vantant l'opulence d'une société idéale d'où le manque aurait été éradiqué. Un ensemble de basiques (papier toilette, pâtée pour chat, Kleenex, thé en sachet, couches-culottes, et j'en passe) compose cet arbitraire panier de la ménagère – et du ménager, depuis que l'égalité des sexes est passée par là. Certains produits plus anecdotiques, comme les cartouches en mousse pour les pistolets et fusils Nerf, font partie de cet assortiment. À croire que sur l'échelle des nécessités vitales, ces munitions ludiques se classent au même rang que le dentifrice à la chlorophylle. Après m'être abonné au service, j'opte pour trois denrées de base : les sacs-poubelle, figurant l'archétype du produit qu'on ne pense pas à acheter avant qu'il n'y en ait plus ; les mouchoirs en papier, dont nous faisons un usage dantesque depuis que mon plus jeune fils s'est mis en tête de manger comme Shrek ; et les préservatifs, euh, oui, les préservatifs, dont la consommation est peut-être moindre, mais qui sont à l'origine d'un autre type de problématique. Malgré l'évolution des mœurs, il est encore relativement embarrassant d'aller, dans la vraie vie, acheter une boîte de ces capuchons caoutchoutés à la pharmacie du coin. Le type qui vous a conseillé la semaine passée pour une gastro est désormais au courant que vous êtes ragaillardi, tellement remis d'aplomb que vous avez pour projet de prendre votre pied. Et je ne vous parle même pas du cas où le pharmacien est une pharmacienne! D'où cette menace récurrente qui pèse sur le bon fonctionnement de la vie de couple : la boîte vide. Qu'y a-t-il de pire, en termes de galère domestique, que d'avoir à affronter, à l'orée du passage à l'acte, une pénurie de préservatifs? Pas grand-chose, à vrai dire. Peut-être une panne de télé un soir de France-Brésil. D'où l'apparente utilité du Dash Button.

Mais, avant de réussir à le mettre en marche et le connecter avec mon iPhone, j'ai dû batailler pendant 45 bonnes minutes avec la hotline de mon fournisseur d'accès internet. Comme si ça ne suffisait pas, alors que les choses semblaient s'enliser dans les sables mouvants du service après-vente, le conseiller clientèle m'annonce que là-bas, à Casablanca, «il fait 28°». J'aime beaucoup la capacité de ces opérateurs lointains à rester longuement silencieux, lorsque, à l'autre bout du fil, un Occidental au bout du rouleau tente nerveusement de mettre en œuvre leurs consignes de sauvetage énoncées d'une voix de sirocco. Ce n'est pas tant la solution technique qui est merveilleuse que l'espèce de relativisme distillé par leur attitude : «Pourquoi t'emmerdes-tu avec ça?» semble dire leur grain de voix, ondulant paisiblement comme une caravane de Touaregs au milieu des dunes. Au bout de plusieurs manipulations complexes, mon ancien mot de passe, interminable et inopérant, est désormais réduit à quelques caractères fonctionnels, grâce à une habile manœuvre de l'urgentiste marocain. Une fois le wi-fi activé, je connecte à l'interface préalablement téléchargée sur mon smartphone chacun des Dash Button reçus par la poste. Cette technologie logistique se présente sous la forme simple de petits boutons en plastique à l'allure de cartouches égyptiens, qui communiquent par Bluetooth avec l'appli centralisant les opérations. Il suffit d'appuyer dessus pour passer une commande. Je les colle un par un, grâce à leur face adhésive, non loin des produits dont ils doivent assurer le réapprovisionnement automatique. Je fais en sorte de les placer dans des endroits où ils ne sont pas visibles et difficilement accessibles, pour que mes enfants n'aient pas le loisir de commander cinq cents boîtes de préservatifs, en pensant qu'ils interagissent avec un jouet minimaliste.

Craignant au départ de me retrouver avec une palette de produits que je n'ai pas voulus, je me renseigne sur le site et m'aperçois rapidement que le géant de la livraison a installé d'efficaces paravents. On ne peut pas lancer une nouvelle commande si une autre est déjà en cours et, une fois la commande passée, vous êtes immédiatement prévenu par SMS. Vous avez alors la possibilité de l'annuler. Sitôt le dispositif mis en place, j'appuie fébrilement sur le Dash Button : comme prévu, mes trois produits de base arrivent dès le lendemain. Le problème, c'est que les colis ne sont pas livrés chez moi, comme j'avais cru le comprendre, mais dans un Point Relais qui, au regard de mon ultra-sédentarité pathologique, se situe à des années-lumière. C'est un peu comme si j'avais commandé un tube de harissa et que le transporteur me l'avait livré à Tanger. Quel intérêt d'aller chercher des préservatifs à trois kilomètres alors qu'en théorie, je bénéficie d'un service de livraison censé m'acheminer, comme le pétrole par pipeline, tous les biens de consommation sur le pas de ma porte ? Quand ce monde huilé comme une comédie musicale de Jacques Demy dysfonctionne – et bien souvent il dysfonctionne –, le sentiment de frustration est alors décuplé. Produisant une sorte de réalité alternative, le Dash Button embarque l'utilisateur dans une véritable fiction où le caractère impérieux des besoins secondaires serait censé piloter le monde. Pour donner corps à cette féerie, des ballets de robots s'activent en coulisses dans de grands entrepôts, connectant tout désir naissant à sa satisfaction immédiate, rêve de fluidité absolue nous propulsant dans un perpétuel présent commercial.

Derrière cette promesse de libération qui transforme le rituel des courses au supermarché en un lointain souvenir, mon expérience s'accompagne d'un isolement croissant. Je reste bien souvent, toute la journée, enfermé chez moi, attendant que ma femme rentre du travail, relié à cette tuyauterie marchande qui, presque comme un système sanguin, m'alimente, m'approvisionne, m'oxygène. Je suis comme la reine des abeilles sauf que, moi, dans ma ruche, je ne produis aucun pot de miel susceptible d'apaiser les maux de gorge. Au lieu de ça, c'est mon sentiment de parasitisme qui prospère en vase clos. Que fais-je concrètement, sinon nuire à l'environnement qui m'abrite, en piller les ressources sans rien restituer en retour ? Ma vie est envahie de cartons, amoncellement de parallélépipèdes qui encombrent ma poubelle, provoquant certains jours une forme de répulsion épidermique. S'ils permettent aux sans-abri de lutter contre le froid, ces cartons m'apparaissent comme l'indice de ma clochardisation psychique, le signe évident du fait que je n'habite plus le monde. Au fond de moi, j'ai envie de hurler : STOP ! Je suis envahi par la sensation nauséeuse d'être devenu un producteur assermenté de besoins illusoires, quelqu'un dont les nécessités artificielles contribueraient en réalité à la marche du système vers l'abîme. Le Dash Button est d'ailleurs un sémaphore ambivalent. Sa petite lumière bleue, qui se met à clignoter lorsqu'on passe une commande, est un phare qui doit nous alerter : il est le signal paradoxal de l'épuisement des ressources. Si un système si complexe a été mis en place pour commander de la teinture pour cheveux et des rasoirs jetables, ce n'est pas parce que tout est en excès mais, au contraire, parce que rien ne l'est plus. Il est donc nécessaire de domestiquer la pulsion afin qu'elle ne dérive pas vers un rejet de cette gabegie mortifère, afin de la persuader qu'elle n'a, au fond, qu'une seule solution : participer à l'écriture de son propre requiem en se faisant livrer des partitions, de l'encre et une plume d'oie par un coursier sous-payé.

Dans d'autres contrées, où cette technologie est encore plus avancée, l'exercice même de la volonté a disparu. Au firmament de la fainéantise, il s'agit alors de s'épargner l'incommensurable fatigue d'une pression du doigt. Ce système, dénommé «Dash replenishement service», confère à certains objets connectés la faculté de passer directement des commandes, sans l'intervention d'un tiers. Plus besoin d'appuyer sur quoi que ce soit. Une imprimante qui se retrouve en rade de cartouche d'encre pourra faire automatiquement le plein de jaune ou de bleu, sans que vous ayez à quitter votre torpeur. À terme, dans ce monde merveilleux, c'est votre cafetière qui fera les emplettes d'arabica et votre frigo qui commandera directement du jambon, des cornichons, du fromage à votre place, car les données météo, croisées avec votre consultation récente de vidéos de randonnées à ski sur Youtube, indiqueront que le temps est venu pour une raclette. La pression du doigt, alors, ne sera plus qu'un lointain souvenir, un geste ancestral dont on perpétuera la mémoire nostalgique au coin du feu. «Eh oui, mes enfants, direz-vous à votre progéniture éberluée, vous n'allez sans doute pas me croire mais, quand j'étais jeune, j'appuyais moi-même sur un Dash Button. Ça peut vous paraître incroyable, mais pourtant, c'était comme ça. La vie était beaucoup moins facile qu'aujourd'hui!» Une machine activant vos poumons à votre place tirera alors sur votre pipe électronique pour ajouter à votre prestance narrative de papy conteur, et la bûche de la cheminée s'allumera d'elle-même, pour participer à la fabrication de souvenirs inoubliables, entreposés en sécurité dans le *cloud*.

CHAPITRE 8

Comment, parce que j'aspirais à un hygiénisme sans effort, j'ai confié mes tâches ménagères au cousin germain de R2-D2

Service testé : Robot aspirateur A320
de Wisdom Robotic

Alors que nous nous apprêtons à nous mettre à table en famille pour déguster un appétissant couscous fumant, mon voisin du second sonne chez moi pour me remettre un encombrant carton. Ce retraité vient d'un temps où les gens savaient encore s'entraider sans espérer de contrepartie, où un immeuble s'envisageait comme une communauté dont il fallait huiler les rouages à coups de petits gestes. Même s'il est d'une amabilité à toute épreuve, je sens bien que mon mode de vie l'interroge, et plus encore, son épouse. Pour ces gens qui ont fait rôtir de la volaille dans le Paris de l'après-guerre en se levant tous les jours à l'aube, je suis ce type étrange qui ne sort que très rarement de chez lui, ne semble pas vraiment travailler et passe sa vie à recevoir des paquets de tailles variables, aux contenus mystérieux. À leurs yeux, je pourrais tout aussi bien être dealer ou agent secret. J'ai plusieurs fois tenté de leur expliquer que j'étais journaliste freelance, mais le monde du travail a si profondément évolué ces dernières années qu'il en devient parfois incompréhensible : comment un type qui reste en jogging toute la journée peut-il gagner sérieusement sa vie ?

Aujourd'hui, c'est à mon fils aîné que revient de libérer de son emballage l'Aspi-robot dont j'ai fait l'acquisition quelques jours plus tôt sur un site de vente en ligne. Chez l'humain normalement constitué, le ménage figure en effet en bonne place dans la liste des tâches auxquelles on rêve de pouvoir échapper. J'en veux pour preuve l'incroyable fièvre conversationnelle que peut déclencher cette thématique. Sur le site d'e-commerce pour lequel j'ai opté, la fiche de présentation du modèle iRobot Roomba 650, sur lequel j'avais initialement jeté mon dévolu, est suivie de quelque deux cents commentaires extrêmement contrastés. «Je l'adore ! Il aspire pendant que je fais autre chose. Sinon, niveau esthétique il est superbe !», s'enthousiasme un certain Patrick, visiblement tombé amoureux de ce ramasse-miettes géant. Moins bluffée par la physionomie de la bête, une autre utilisatrice tente au contraire d'alerter ses congénères sur la psychologie secrètement problématique de l'iRobot Roomba 650, lui diagnostiquant «l'intelligence artificielle d'un chauffard» : «Dès qu'il détecte un obstacle, il ralentit et le contourne. Mais alors, sur le papier seulement. Parce que dans les faits, il fonce comme s'il s'agissait d'une course-poursuite et ne s'arrête qu'une fois sur trois (en étant vraiment très gentille). L'impact avec les meubles peut être assez violent. J'ai souvent retrouvé en rentrant chez moi des objets à terre. Si cet appareil était humain, ce serait le genre à rouler à toute allure sur une rue piétonne, sans ses lunettes. Il aurait déjà renversé et tué toutes les vieilles dames du quartier.» À croire que l'aspirateur robot Roomba renferme, au milieu des miettes et des poussières, une personnalité potentiellement homicide, tel le Hal 9000 de *2001, l'Odyssée de l'espace*. Persuadé de son absolue perfection, l'ordinateur de bord, qui s'autorisait des tirades mégalomaniaques du type «aucun ordinateur de la série 9000 n'a jamais fait d'erreur ou déformé une information», finit par éliminer l'équipage du vaisseau.

Dans un registre ménager, imaginer l'aspi-robot dévier soudain de sa trajectoire pour venir me défoncer délibérément les tibias puis, après cette habile balayette, m'ouvrir le crâne à coups de carrosserie comme on fracturerait une noix de coco, constitue une sorte d'effroi technologique accompagnant la mécanisation accélérée de l'existence. Et si ces gadgets étaient en réalité porteurs d'intentions malveillantes ? Si, au lieu de nous faciliter la vie, ils se retournaient contre nous ? Cette idée d'une radicalisation potentielle des objets autonomes transparaît à la lecture des commentaires, majoritairement inquiétants. « Ce robot est incontrôlable et n'obéit à personne », s'insurge un utilisateur. Un brin effrayé, j'opte finalement pour un autre modèle : le mini-robot aspirateur A320, vendu par Wisdom Robotic. J'espère qu'il est moins tourmenté que le Roomba. Après quelques coups de ciseaux, mon fils extirpe du paquet une énorme galette noire qui semble être le fruit d'amours clandestines entre le petit droïde R2D2 (pour la connectique clignotante) et un 33 tours obèse de Diana Ross (pour la teinte glossy et mazoutée). À peine déballée, la machine suscite une réaction inattendue de la part de mon plus jeune descendant, qui fonce dans sa chambre et en revient brandissant une figurine Transformers. À deux ans, et malgré un vocabulaire limité, il semble vouloir dire par là qu'il a identifié deux membres d'une même espèce ou tout du moins deux objets appartenant à une même catégorie. Peut-être veut-il également signifier à l'aspi-robot qu'il n'est pas seul, qu'il a des copains dans la place, en une sorte d'élan animiste étranger aux adultes. Une chose est sûre, l'appareil suscite une immédiate projection anthropomorphique qu'aucun aspira-teur classique, même constellé de boutons, n'est en mesure d'inspirer. Nous branchons l'engin à l'ombilic électrique avec le sentiment étrange de lui donner à manger. L'écran de contrôle s'allume, émettant un «bip» futuriste : une icône de pile en phase de rechargement nous indique que le processus de gavage électrique est enclenché. La notice est en anglais et, de toute façon, un peu trop complexe pour que je m'y plonge. Je n'ai jamais été un grand amateur de ce type de livrets aux subtilités bien souvent impénétrables. Si un objet censé faciliter la vie exige, pour sa mise en œuvre, la lecture d'un manuel plus épais que *Guerre et Paix*, où est le gain de temps ? «Regarde, il a un œil», s'enthousiasme un de mes enfants, en poin-tant du doigt un petit capteur aux allures de péris-cope miniature. Après quelques minutes de charge qui semblent durer des heures tant nous sommes impatients de tester ce nouveau venu, nous lâchons le fauve dans le salon, en appuyant sur un simple bouton de mise en route. Contrairement à une aide ménagère classique, il ne commence pas sa séance de nettoyage par une dégustation de café et de gâteaux secs : l'A320 se met immédiatement en route. Il effectue alors une étrange chorégraphie, s'arrêtant parfois sans raison, tournant sur lui-même puis repartant dans le sens opposé comme s'il venait de recevoir des instructions venues d'ailleurs. À peine a-t-il effectué quelques circon-volutions que l'engin stoppe net, visiblement en grande difficulté. Je le retourne pour un premier diagnostic rapide, histoire de voir ce qui se passe sous le capot. Même si je n'ai pas reçu de forma-tion de premiers secours pour aspirateur, je me rends compte immédiatement que notre nouvel hôte vient de s'étrangler avec la cordelette d'une tortue à roulettes. Le fil s'est méchamment enroulé dans la brosse, à l'entrée de ce qui fait office d'œso-phage. Il faut donc rapidement dégager les voies respiratoires afin que la «chose» (appelons-la comme ça pour l'instant, faute de mieux) puisse reprendre rapidement son ouvrage. Mais ce pépin n'est que le premier d'une longue série. Dès qu'elle passe sur la frange de notre tapis indien, «la chose» s'y empale comme sur les défenses d'Omaha Beach et il faut à nouveau la dégager pour qu'elle puisse repartir. Un appartement très moyennement rangé comme le nôtre ne semble pas constituer un biotope adéquat pour ce type d'appareil.

Rapidement, ma compagne, qui assurait pourtant une grande partie du ménage (oui, je sais, c'est honteux, mais je me situe en cela dans la moyenne nationale, les femmes françaises effectuant 2,5 fois plus de tâches domestiques que les hommes), émet l'hypothèse radicale de se séparer de l'aspirateur A320. «Et si on le renvoyait?» dit-elle, après avoir jugé son efficacité très limitée. «On pourrait faire appel à une vraie femme de ménage», ajoute ma compagne, profitant des incidents à répétition pour avancer ses pions sur le grand échiquier de l'optimisation domestique. La réaction de la tribu enfantine est immédiate, plus virulente encore que si l'on venait d'annoncer la suppression des frites à la cantine : «Ah noooonnnn, il est trop cool!» hurlent en chœur les enfants. Le matin, avant même de vider son biberon, mon fils de deux ans met lui-même l'aspirateur en marche et rit aux éclats en criant «'gad, o'bot, o'bot», ce qui peut se traduire vraisemblablement par : «regarde, le robot, le robot»... L'autre effet positif inattendu, c'est que les enfants se mettent à ranger à toute vitesse leurs jouets lorsqu'ils voient «la chose» s'en approcher. L'idée qu'elle puisse dévorer à peu près tout et n'importe quoi, telle la baleine engloutissant Jonas, se renforce au fil des séances. Un jour, la «chose» tente d'ingurgiter une pantoufle, le lendemain on la retrouve avec les voies respiratoires obstruées par un masque de Tortue Ninja en plastique souple, le surlendemain, elle boulotte des pièces de Lego aussi goulûment que des pistaches à l'apéro. «Peut-être qu'il est trop gros?», s'interroge à nouveau ma compagne, contrainte de mettre les chaises sur la table afin de faciliter le passage de l'engin, si volumineux qu'il lui est impossible de slalomer entre les pieds en inox.

Moi, j'observe depuis mon canapé l'étrange manège de ce cercle sombre et vrombissant. Ses déplacements sont si erratiques qu'on croirait un poulet sans tête lâché au milieu du salon. À d'autres moments, ses circonvolutions surprenantes, ses soudaines volte-face, sa manière de se pétrifier devant un meuble avant de foncer dans une autre direction, lui donnent des allures de virevoltant Noureev de la miette. Cette science étrange du déplacement, qui pourrait presque passer pour la manifestation d'une volonté à l'œuvre, confère à cette entité mécanique un caractère menaçant. Comment ne pas se méfier d'une chose susceptible, en une fraction de seconde, de changer aussi radicalement de direction, et donc d'avis ? Lorsque ma compagne se cogne par mégarde à l'aspirateur-robot, elle va d'ailleurs jusqu'à s'excuser : «Oh, pardon, robot!» l'ai-je entendu dire à plusieurs reprises. On ne sait jamais. Quant à mon plus jeune fils, il refuse désormais de rester seul dans la même pièce que la «chose», de peur de se faire dévorer par cet engin saturnien. À force de rotations sur le parquet, cette bonne volonté rotative finit néanmoins par nous attendrir. Ses grands filaments blancs qui dépassent de l'habitacle tournoient sans arrêt pour attraper la poussière et on pourrait presque y voir les longs cils émouvants d'une créature de manga. Globalement, il faut bien l'avouer, notre appartement est un peu plus propre qu'avant, même s'il est nécessaire d'utiliser un aspirateur classique en appoint de l'A320, pour les zones difficiles d'accès. Ce n'est pas l'excellence du travail de l'aspi-robot qui explique cette embellie sanitaire, mais le fait que la fréquence du ménage a augmenté : nous ne laissons plus, comme auparavant, des nouilles sécher plusieurs jours sous la table. Néanmoins, l'expérience n'est pas assez concluante pour nous décider à investir dans un robot lave-vitres. En outre, il faut sans cesse surveiller l'aspirateur et j'ai parfois le sentiment d'être devenu un chien de berger occupé par la garde exclusive d'un mouton noir un peu débile. Dans le cas de «la chose», il semble en effet qu'on soit loin d'avoir affaire à une intelligence artificielle, tant son opiniâtreté à aller s'empaler dans les fils du tapis ne connaît pas de répit. Même mon fils aîné, fervent défenseur de cet aspirateur du Troisième Type, finit par conclure : «Il n'a rien appris depuis qu'on l'a. Il est un peu bête! Je crois qu'il faut le ramener.»

Au fil des semaines, en raison de ces tracasseries récurrentes et de cette efficacité somme toute limitée, force est de constater qu'on utilise beaucoup moins l'aspi-robot A320. Lentement, on en revient à une forme de ménage plus classique : ma femme passe l'aspirateur pendant que je lis le journal sur le canapé. Je sais, dit comme ça, ça peut paraître honteux. Mais cela doit être envisagé dans le cadre d'une économie plus globale de la répartition des tâches. Qui se retrouvait jusque-là avec les muscles endoloris à force de porter des packs d'eau? C'est moi! Qui emmène les enfants à la piscine? C'est encore moi! Qui, les jours où nous décidons de ne pas faire appel aux services de livraison de plats cuisinés, prépare le merveilleux thon au sésame sauce Teriyaki ? Ne cherchez pas, c'est toujours moi ! Aux dernières nouvelles, l'A320 a atterri quelque part dans un coin de la cuisine. Beaucoup moins actif que lors de son arrivée, connaissant à peu près le même destin qu'un acteur hollywoodien en fin de carrière, il prend la poussière en silence, en attendant qu'un grand rôle lui soit à nouveau confié. Peut-être dans le prochain *Star Wars*, sait-on jamais.

CHAPITRE 9

Comment, en voulant simplement augmenter ma productivité, je suis devenu un cyber-Thénardier en exploitant plus pauvres que moi

Services testés : Zotero, TimeSvr, 5euros.com

L'an dernier, pour rompre avec un quotidien professionnel profondément crétinisant, j'ai repris des études de philosophie à la Sorbonne, en parallèle de mon travail. Assez vite, j'ai pu constater que là aussi, la délégation existentielle avait gagné du terrain. À l'université, ce n'est plus Gilles Deleuze qui est sur toutes les lèvres, mais Zotero, un logiciel au patronyme de révolutionnaire mexicain réalisant automatiquement les bibliographies des mémoires et des thèses. J'ai donc suivi une journée de formation afin de me familiariser avec cette nouvelle star des amphis. «Je te conseille vraiment de l'installer», m'a avisé un collègue thésard, avec les yeux brillants. Effectivement, ce logiciel libre d'accès, qui se cale simplement dans la barre d'outils de votre navigateur, vous retire bien plus qu'une simple épine du pied. Lorsque vous terminez un travail intellectuellement harassant, il n'y a rien de pire que de sacrifier les derniers dixièmes de vos yeux à l'empilement de références interminables que peu de gens prendront la peine de consulter, pour ne pas dire personne.

Pour augmenter encore mes capacités d'étudiant-cyborg et étoffer mes recherches documentaires extrêmement chronophages, j'ai décidé de faire appel à la société TimeSvr. Cette plateforme de micro-tasking basée à Singapour propose, contre un abonnement mensuel de 69 euros, de réaliser n'importe quel type de travail intellectuel, dans la mesure où les instructions et le résultat peuvent transiter via une connexion internet. Ces mini-tâches ne doivent pas excéder 15 minutes chacune, mais vous pouvez en commander autant que vous le souhaitez. C'est comme si une usine à neurones tournait pour moi à plein régime, quelque part dans la moiteur d'une grande mégapole asiatique. La devise de cette société de support cognitif : «Vous aider à gagner du temps & à boucler vos dossiers». La plateforme fonctionne exclusivement dans la langue de Shakespeare et de Donald Trump, ce qui, en l'occurrence, se révèle avantageux, puisque les documents universitaires auxquels je souhaite accéder sont, pour la plupart, rédigés dans cet idiome. Sur TimeSvr, commander une «task» s'avère d'une simplicité enfantine. Dans l'onglet «Submit a task now, so we can save your time», il suffit de demander par écrit ce que vous voulez, puis de cliquer sur «Do it». Mes lointains interlocuteurs se prénomment «Michael» ou «Troy» et se mettent alors à phosphorer pour moi, pendant que je peux lézarder à la cafétéria de la fac en prenant des poses de génie ombrageux. Parfois, ils peuvent m'envoyer un message pour avoir des précisions sur ma demande, mais ils se débrouillent généralement très bien tout seuls. Après avoir effectué une requête assez pointue relative à la théorie de l'acteur-réseau, je reçois un fichier où des liens, tous plus pertinents les uns que les autres, sont alignés comme à la parade. Depuis que je suis abonné, je me sens dans la peau du personnage du film *Limitless*, que des pilules expérimentales rendent intellectuellement hyper-productif. Mais ce sentiment est sans doute en partie illusoire, car je devrai un jour me plonger dans tous ces textes accumulés, pour en retirer une vision personnelle. Et cela ne se fera pas sans effort. Le recours à Time Svr m'aura au moins appris une chose : en matière de travail intellectuel, la concurrence est désormais mondialisée. Et les prix sont immanquablement tirés vers le bas par ce genre d'offres, qui se sont multipliées à vitesse accélérée, dans des registres aussi divers que variés : Mechanical Turk, Taskrabbit, Foulefactory, Upwork, Senioravotreservice…

Ce sont des dizaines de plateformes qui participent à l'émergence d'un nouveau phénomène appelé le «jobbing», soit le travail réduit à une simple tâche, sans statut, ultra-concurrentiel. Certains ont depuis longtemps à l'esprit la cartographie de ces ressources mondialisées. Le staff de Donald Trump aurait ainsi sous-traité la production d'une vidéo de campagne à une ado singapourienne, via la plateforme Fiverr. Il y a quelques années, Bob, un ingénieur américain de la société informatique Verizon Business, s'est lui aussi fait pincer en flagrant délit de sous-traitance, devenant le premier «martyr» de ce nouveau mode de vie. Ce développeur rusé comme le renard de Firefox avait communiqué le code d'accès au réseau interne de son entreprise à une société chinoise et avait également fait parvenir, là-bas, au pays du Matin calme, par voie postale, sa clé USB d'authentification. Champion incontesté du présentéisme, Bob était tous les jours à son poste, vaillamment installé devant son ordi, élimant consciencieusement le revêtement de son fauteuil de bureau, occupé à produire des signes extérieurs d'activité si probants que ses collègues n'y virent longtemps que du feu. Bob était même considéré comme le meilleur employé de la boîte, alors qu'il passait en réalité son temps à traîner sur LinkedIn, eBay, Facebook ou encore Reddit. Tout cela en dit aussi long sur les ressources insoupçonnées de l'âme humaine que sur cette vaste fumisterie qu'est devenue l'entreprise moderne. Ayant repéré des connexions suspectes depuis la Chine, Verizon a cru un moment être victime de hackers asiatiques et a fini par démasquer l'ingénieux glandeur, qui consacrait un cinquième de son salaire à faire travailler à sa place de petites mains sur un autre continent. Malgré sa stricte application des valeurs néolibérales, Bob a fini par être licencié. Aujourd'hui, il n'est même plus besoin d'aller très loin pour mettre en œuvre un système aussi subtil. La Chine ou l'Inde à bas coût, c'est chez nous. Et l'ouvrier sous-payé est peut-être votre voisin de Starbucks, figurant avec son laptop une petite bulle de tiers-monde installée juste à vos côtés.

En ma qualité de pigiste, je suis d'ailleurs moi-même un sous-traitant, variable servant à amortir les soubresauts d'entreprises plus stables, où quelques rares chanceux possèdent encore un statut à l'ancienne, le légendaire CDI, devenu presque aussi mythique qu'une licorne, et un carnet de Tickets Restaurant, autant dire l'apogée comestible d'une carrière. Je suis un sous-traitant qui lui-même sous-traite, une entité intermédiaire dans un processus productif aux allures de chaîne alimentaire impitoyable. Submergé de boulot, gérant plusieurs dossiers urgents en même temps, j'ai décidé de confier à des compatriotes sous-traitants une partie de mon labeur. Dans cette optique, j'ai choisi les services proposés par 5euros. com, équivalent hexagonal du site de microservices Fiverr. Comme son nom n'en fait pas mystère, cette plateforme affiche une culture low cost à faire pleurer d'envie Ryanair et s'inscrit dans le cadre de la « gig economy », nébuleuse de petits boulots qui s'est étendue de façon exponentielle ces dernières années. Sous couvert de société du partage, c'est en réalité une forme de libéralisation sauvage du marché du travail qui s'est mise en place, emballée dans un discours enchanté, brassant les thèmes de la mutualisation des ressources, de la liberté en haut débit et de l'entreprenariat comme idéal de vie. Le slogan de 5 euros.com est prometteur :

« Microservices, maxi-efficacité ». Ce site propose à la carte un ensemble d'activités variées, classées par thèmes : Design & graphisme, Audio, Vidéo, Programmation, Marketing digital, Réseaux sociaux… Dans la catégorie Insolite, on trouve même des offres de service qui auraient sans doute beaucoup plu au cinéaste Russ Meyer. En particulier la « dédiboobs », une dédicace inscrite au marqueur sur la poitrine opulente d'une demoiselle et envoyée en photo à son heureux destinataire. Comme plusieurs annonces proposent des « dédiboobs », j'en conclus que ce marché est en forte croissance. Autres propositions étonnantes : « Je vais discuter de ce que vous voulez avec qui vous voulez », « Je vais tenir une pancarte devant n'importe quel monument parisien », « Je vais me filmer en train de crier ce que vous voulez dans la rue », « Je vais vous envoyer une Game Boy en papier avec votre nom », « Je vais vous conseiller pour votre voyage touristique à Montluçon », « Je vais tester la fidélité de ton copain ».

On le voit, la « gig economy » exploite les microniches les plus inattendues, tous ces segments de marché que les grands groupes ne peuvent investir, par manque de souplesse. Je clique sur l'onglet « Rédaction » qui se déploie en une arborescence de sous-services. Après m'être créé un pseudo crédible – Nico19 –, je parcours le site pour trouver quelqu'un susceptible de traduire en français une interview que j'ai réalisée par mail en anglais avec un spécialiste de l'innovation. Je tombe alors sur le profil de Jeanne Vllrbs qui, malgré un patronyme des plus étranges, possède des arguments crédibles pour répondre efficacement à la commande. «Étudiante à Sciences Po Lille, actuellement en troisième année au Danemark (dans le cadre d'Erasmus), je vous propose des services de rédaction, de traduction mais aussi de coaching pour les concours communs des IEP. J'ai de solides compétences dans le journalisme, la rédaction, je possède un excellent niveau d'anglais. N'hésitez pas me contacter pour plus d'infos ☺». Jeanne est châtain clair, avec des yeux bleus et un joli visage. Elle pourrait tout à fait jouer dans un film français. Elle affiche un score impressionnant de 91 % de respect des délais. Et, effectivement, dès le lendemain de ma commande, je reçois une traduction impeccable de l'interview que je lui ai fait parvenir, tout cela pour le tarif approximatif de deux repas au McDo (21,32 euros). Jeanne Vllrbs s'excuse même de n'avoir pas saisi le sens d'un mot. Non seulement les gens qui œuvrent sur 5euros.com sont sous-payés, mais en plus ils font consciencieusement leur travail. Là où les entreprises regorgent de bras cassés improductifs, ces bataillons de précaires constituent le véritable carburant de l'économie française, son gaz de schiste intellectuel. Bien souvent, ces auto-entrepreneurs font preuve d'un allant étonnant et j'apprécie réellement de collaborer avec eux. C'est comme si j'étais à la tête d'une multinationale, mais sans les soucis qui vont avec. Je n'ai pas à organiser le Noël de l'entreprise, ni à expliquer pourquoi le C.E. ne financera pas cette année de voyage à PortAventura. J'utilise surtout ces services pour me décharger d'une tâche que je trouve excessivement pénible : la retranscription d'interview. Décrypter un entretien d'une heure peut ainsi prendre jusqu'à quatre heures de mon temps, entre les moments passés à appuyer sur les touches «marche», «arrêt», «reward» du dictaphone et ceux où je suis occupé à marteler sur mon clavier. Sans compter ces nombreux instants parasites où je m'installe devant Roland-Garros, en pensant juste regarder quelques échanges. Trois heures plus tard, je suis toujours en train de me passionner pour un interminable Nadal-Del Potro. Là, il suffit d'envoyer le fichier numérisé de l'interview et d'attendre que ce gloubi-boulga sonore revienne sous forme de texte impeccable.

Aujourd'hui, j'ai décidé de faire appel aux services de Nayam pour retranscrire une interview du philosophe des techniques Bernard Stiegler, en vue d'un article que je prépare sur le thème de la «disruption». C'est long (plus d'une heure de discussion), c'est technique, et le son n'est pas forcément d'une qualité irréprochable. Autant de raisons qui m'ont conduit à déléguer cette tâche. Cinq euros étant une mise de départ, la somme augmente logiquement lorsque la mission demande plus de temps. Nayam affiche une grille tarifaire raisonnable et clairement détaillée. Au total, il m'en coûtera 26,52 euros TTC. Nos premiers échanges porteront sur la difficulté à faire transiter le fichier par le serveur de 5euros.com. Même si les interactions concernent en général des détails rébarbatifs, elles se déroulent le plus souvent dans un climat de confiance et de bonne humeur partagée. Je demande ainsi à Nayam s'il peut me communiquer son e-mail, ce qu'il fait immédiatement, alors que j'aurais pu être un serial killer. «Si votre fichier ne passe pas par mail, vous pouvez le mettre sur un service cloud (Google Drive, Dropbox, etc.). Belle journée à vous», me dit Nayam, qui

prend soin de me remercier de ma «confiance».
Deux jours plus tard, à 1 h 49 du matin, alors que
je suis en train de ronfler dans le tympan de ma
compagne, y déversant une symphonie de basses
caverneuses, une nouvelle missive électronique
tombe dans ma messagerie : «Bonsoir, je viens aux
nouvelles par rapport à votre commande. Celle-ci
est très complexe car les phrases sont très longues
et le flux de paroles est assez rapide et constant. De
plus, plusieurs personnes sont évoquées, et je ne les
connais pas forcément (des sociologues, etc.), ce
qui me demande un travail de recherche supplémentaire pour vous fournir un travail de la plus
haute qualité possible.» Et voilà, je m'en doutais,
Nayam va me demander une rallonge financière
et un délai supplémentaire! Mais, en poursuivant
la lecture du message, je m'aperçois que pas du
tout. Nayam est juste animé par le désir de m'in-
former de l'avancée des travaux, comme le ferait
n'importe quel salarié consciencieux avec son
N +1 : «J'ai tout de même réussi à bien avancer.
J'ai fait environ trois quarts de la retranscription,
et je serai en mesure de vous livrer dans les temps,
mardi.» Mais non, les amis, la France des petits
artisans consciencieux n'est pas morte! Tant qu'il
y aura des Nayam et des Jeanne Vllrbs, nul besoin

de délocaliser mon travail intellectuel à New Delhi ou à Tanger. Quand j'ouvre le fichier, je m'aperçois que la retranscription est quasi parfaite. Étudiant en DUT informatique à Montreuil, le jeune homme me demande si j'ai éventuellement des contacts d'entreprises en Île-de-France, susceptibles de lui proposer «un contrat en alternance l'an prochain». Extrêmement poli, Nayam m'encourage également à recommander son travail, comme le font la plupart des sous-traitants, dont la réputation conditionne en grande partie la prospérité. Je n'y manquerais pas.

À force d'utiliser 5euros.com, je commence à me poser des questions : Comment les gens peuvent-ils accepter de fournir un travail d'une telle qualité pour si peu d'argent ? Comment le labeur intellectuel a-t-il pu se dévaluer à ce point en si peu de temps ? Dans ce contexte, y a-t-il encore un avenir pour le contrat à durée indéterminée ? Et surtout, si les commandes sont si bien honorées, pourquoi se contenter de déléguer seulement des tâches périphériques ? Pour répondre à cette dernière question, je décide de pousser plus loin l'expérience et de sous-traiter, non plus seulement l'accessoire mais l'essentiel de mon cœur de métier. Comme je rédige une chronique hebdomadaire sur la vie de bureau pour le journal *Le Monde*, j'aimerais savoir si d'autres sont susceptibles de le faire à ma place. Après l'avoir sélectionnée en raison de ses recommandations et du tarif alléchant de son annonce («Je vais rédiger un article de 500 mots pour 5 euros»), je mandate Lascribe pour cette mission de la plus haute importance, expédition exploratoire sur une arête effilée de la délégation. Si c'est raté, je risque en effet de dévisser dans l'estime de mes employeurs et de nécroser un ventricule essentiel à l'oxygénation de mon compte en banque. Voici l'ordre de mission que j'adresse, à la fois tremblant et plein d'espoir, à ma sous-traitante : «Bonjour, je souhaiterais un texte de 2 500 signes (espace compris) sous forme de chronique (donc avec un point de vue personnel affirmé) sur le thème : «Sous-traiter son travail est-il moral?» Vous pouvez y aborder librement les thématiques que vous souhaitez, avec si possible un peu d'humour. J'en aurais besoin en tout début de semaine prochaine. Bien cordialement, Nico19.» Lascribe me recontacte presque instantanément : «Si vous souhaitez raccourcir le délai, il faut un supplément ☺. Sinon, je ferai en sorte de respecter le délai fixé (ayant 19 commandes en attente). Bonne journée!» 19 commandes en attente! J'ai l'impression d'être coincé dans la queue du McDrive un jour de départ en vacances. Si j'avais autant d'articles en chantier, je crois que je me ferais prescrire un arrêt de travail et une cure en maison de repos. Bien décidé à négocier pied à pied avec ma sous-traitante, je me renseigne sur sa proposition : «Bonjour, quand pensez-vous pouvoir me le rendre à tarif "normal"? Et sinon, quel serait le supplément et la nouvelle date de rendu dans cette optique? Je souhaiterais par ailleurs que vous exploriez dans la chronique la piste suivante : celui qui sous-traite son travail en vient-il, du coup, à exercer une certaine forme d'emploi fictif? Cordialement, Nico19.» Lascribe me répond rapidement, m'annonçant une explosion potentielle du devis initial, dans le cas où je déciderais d'accélérer la procédure : «À tarif normal, je pourrais vous le rendre lundi ou mardi, suivant comment avancent mes commandes ☺. Si vous ajoutez 5 euros, je vous le rends demain. Voilà! ☺.» Dans les heures qui suivent cet échange, je laisse peser un lourd silence pour bien faire comprendre à Lascribe que je serai intraitable sur le tarif de départ. Je ne souhaite pas faire exploser mon budget, déjà entamé par de nombreuses dépenses. Je suis moi aussi une PME avec ses contraintes, j'ai des frais à couvrir, des cartouches d'imprimantes à acheter, des factures d'électricité à payer, des paquets de café moulu à financer, des enfants à nourrir. En regardant faire mon avatar, je me dis que ce Nico19 n'est pas le Nico que je connais, le Nico humaniste, biberonné durant son enfance aux chansons de Jean Ferrat. Nico19 a, au contraire, tous les réflexes comptables du cyber-Thénardier. Peut-être aiguillonnée par mon mutisme de négociateur hors pair, Lascribe me rend la commande plus tôt que prévu, et sans surcoût. Je m'en tire pour 5,70 euros TTC. J'ouvre le fichier et je lis :

« Sous-traiter son travail est-il moral ?

Juridiquement parlant, la sous-traitance est un contrat généralement passé entre deux entreprises. La première demande à une autre de réaliser tout ou partie de son travail. Cela s'utilise principalement au sein des grandes multinationales, mais également dans les échelles plus petites. Ainsi, si vous êtes salarié, que vous sous-traitez votre travail et que votre employeur est d'accord et au courant, tout va bien. Dans le cas contraire, c'est illégal et vous pouvez le payer cher. La sous-traitance dispose de nombreux avantages. C'est pour cette raison qu'elle est régulièrement utilisée. En effet, elle permet au commanditaire de se concentrer sur d'autres tâches qu'il peut juger plus importantes et rentables. De même, en cas de période chargée, l'entreprise peut gérer un flux important de demandes. Aussi, la sous-traitance permet-elle d'accéder à des matériaux et des technologies auxquelles le commanditaire n'a pas accès depuis sa position. La sous-traitance peut également permettre de réaliser des tâches que le commanditaire n'est pas habilité à faire (accueil, entretien, etc.). La sous-traitance est un sujet sensible quand on connaît la pratique de certains grands groupes. En effet, il n'est pas rare que la sous-traitance soit utilisée pour contourner les «rigidités» des lois du travail d'un pays (salaire, nombre d'heures travaillées, âge des salariés) ou pour faire pression sur les sous-traitants qui se retrouvent dépendants du commanditaire. Cependant, dans le cas d'individus, si l'on sous-traite notre travail, est-ce que cela est moral? Vous avez peut-être entendu parler de cet ingénieur américain qui sous-traitait à une entreprise chinoise, pour ne rien faire au travail et s'assurer un salaire plutôt rondelet. Lorsque la supercherie a été découverte, cet ingénieur a été évidemment licencié. Ici, la question morale était importante, car cet ingénieur était très bien payé… mais payé à ne rien faire. Cela peut nous faire penser à la création d'un emploi fictif. En déléguant son travail, cet ingénieur s'était créé un emploi fictif, dont son employeur n'avait pas conscience. Cependant, si l'on prend le problème dans l'autre sens, cet homme a permis de contribuer à l'existence d'une entreprise chinoise. Il a permis à des gens de travailler et de s'assurer un salaire correct, dans un pays difficile comme la Chine où le taux de pauvreté est encore aujourd'hui relativement haut. Que penser également d'un indépendant ou un auto-entrepreneur qui désire sous-traiter son travail pour se développer et se faire une place ? La question dans cet exemple est compliquée puisqu'un indépendant ne souhaite pas ne rien faire, il souhaite se développer, mais ne peut rien faire tout seul. Peut-être pouvons-nous savoir si la sous-traitance est morale en fonction des objectifs du commanditaire : se développer, déléguer certaines tâches pour se concentrer sur d'autres, ou ne rien faire ? Là est toute la difficulté de cette question de la moralité. Et vous, qu'en pensez-vous ? »

Pour me rassurer, je tente de me persuader que c'est un peu moins bien que ce que j'aurais écrit mais je n'en suis pas vraiment sûr non plus. Le point de vue de Lascribe est intéressant, nuancé, mais quelque chose m'étonne dans son argumentation. Selon elle, pour demeurer morale, la délégation se devrait donc d'être productive, de s'inscrire dans un projet entrepreneurial global, et non de favoriser un coupable laisser-aller. D'une certaine manière, Lascribe a intégré une part de l'idéologie de l'époque, qui envisage la sous-traitance comme un moyen de s'auto-maximiser. On est bien loin d'Alexandre le Bienheureux et de sa sédition inactive. Je préviens Éric, mon chef au *Monde*, de mon projet de publier cette méta-chronique rédigée par quelqu'un d'autre. L'idée le fait marrer. Il me propose même de remplir une note de frais pour que je sois remboursé des 5,70 euros investis dans cette dispendieuse entreprise de délégation. Le texte paraît quelques jours plus tard dans le cahier «L'Époque». Sur le site du journal, où elle reste accessible, un internaute prénommé Pierre réagit de la sorte : «Moi, ça me va; sans être formidable, beaucoup d'articles dans la presse ne sont pas au niveau de cette chronique et elle aurait tout à fait pu passer pour un article "normal" sans les aveux du journaliste.» La prochaine fois, il faudra que je pense, dans une optique de préservation de l'aura corporatiste, à sous-traiter également les commentaires.

CHAPITRE 10

Comment, parce qu'un sous-traitant m'avait
prémâché le travail, j'ai réussi à lire
en 23 minutes *Le Capital au xxiᵉ siècle*
de Thomas Piketty

Services testés : Desty, Koober

Quand j'étais plus jeune, je rêvais d'une méthode
d'assimilation des connaissances sans effort, consistant à enregistrer les cours sur des cassettes et à
me les passer en boucle pendant mon sommeil,
grâce à la scansion répétitive d'un walkman autore-
verse. Bien entendu, la logistique nécessaire à
cette politique du moindre effort se révélait être
un nouveau type de contrainte éreintant. Mais
aujourd'hui, avec les moyens modernes, n'est-il
pas devenu possible de se cultiver en limitant sa
peine ? De sous-traiter l'investissement en temps
et en supplice neuronal qu'exige l'édification d'un
capital culturel digne de ce nom ? Depuis qu'elle
est massivement envisagée comme une ressource
à faire fructifier, la culture a quitté les rives délec-

tables du divertissement, pour devenir autre chose, notamment un instrument facilitant la connexion aux autres dans un monde de plus en plus mouvant. La diversité exponentielle des contextes relationnels nécessite désormais de multiplier vos points de contact potentiels, car deviser sur la météo, même si cela fonctionne toujours, ne suffit plus. Une phrase telle que «Non, t'as pas vu la dernière saison de *Game of Thrones*?», soulignera alors le caractère défectueux de votre connectique, une anémie, peut-être passagère, de votre interface discursive. Vous serez donc tenu momentanément à l'écart d'une part non négligeable des réalités communicationnelles de ce monde, végétant en marge du débriefing matinal au bureau, de la discussion enflammée entre amis à la cantine, de la blague sur les réseaux sociaux mobilisant une référence subtile à l'épisode 7 au moyen d'un GIF animé. En se trouvant désormais lestée d'une finalité de plus en plus utilitariste, la culture est, par la même occasion, devenue une charge. Les magazines accentuent ce phénomène, regorgeant d'articles qui célèbrent, comme s'il s'agissait de produits mystiques, les séries à «ne pas rater», les films «indispensables», les disques «à écouter absolument»...

Pour répondre à cette injonction d'un nouveau type, j'ai donc décidé de faire appel à un sous-traitant, rencontré par l'intermédiaire d'une plate-forme de microservices. Desty, c'est son pseudo, propose, pour à peine une dizaine d'euros, une offre surprenante, consistant à aller voir les films à la place des autres, et à en faire par la suite un compte rendu écrit. Desty dit travailler dans l'industrie du cinéma et se livrer à cette activité critique de manière complémentaire, grâce à une carte d'abonnement lui permettant de voir autant de films qu'il le souhaite. Là où les articles génériques de *Télérama* font office de prêt-à-porter de la pensée, il est ici possible de s'offrir une critique sur-mesure, répondant à mes préoccupations propres. Trop heureux d'une telle aubaine, j'envoie immédiatement un message à celui qui deviendra, s'il le veut bien, mon guide dans la jungle culturelle foisonnante de ce début de millénaire. «Bonjour Desty, je souhaiterais que vous alliez voir *The Lost City of Z* à ma place et que vous me donniez votre avis. J'aimerais savoir notamment si on voit beaucoup d'images de la cité engloutie dans la jungle (un ami m'a dit justement que c'était un peu l'arnaque de ce côté-là), et j'aurais également aimé avoir quelques réflexions «philosophiques» sur le film que je pourrais ressortir, si besoin est, dans les dîners. Quand pensez-vous pouvoir me rendre votre compte rendu ? Merci. » Pourquoi *The Lost City of Z* ? Tout d'abord parce que c'est un film que j'avais envie d'aller voir mais, comme un ami m'a affirmé qu'il était très mauvais (alors que cet ami est habituellement fan du réalisateur James Gray), je ne veux pas perdre de temps à contempler un navet de 2 h 21. Ensuite parce que je trouve l'affiche extrêmement intrigante : ce halo de lumière, quelque part au fond de la jungle est si attirant que j'ai du mal à me résoudre à l'idée qu'un pitoyable nanar se cache derrière cette mystérieuse toison végétale. Quelques jours après notre premier contact, Desty me fait parvenir son avis. La première partie de sa critique est consacrée à la description du film, sans fioritures particulières. On dirait presque un compte rendu d'autopsie : « Le film *The Lost City of Z* se base sur l'histoire vraie d'un des plus grands explorateurs du XXe siècle. Le colonel britannique Percy Fawcett se voit proposer par la société géographique royale d'Angleterre (notons quelques plans de clins d'œil à d'autres films du même réalisateur James Gray) un "voyage" en Amazonie pour cartographier les frontières entre le Brésil et la Bolivie. Arrivé sur place et grâce à une passion innée qui ressort à ce moment, il part sur les traces d'une cité perdue.» Je n'insisterais pas trop là-dessus mais je note immédiatement de nombreuses fautes d'orthographe et de syntaxe dans le compte rendu, ce qui me semble rédhibitoire pour que nous puissions poursuivre durablement notre collaboration. Le héros devient par exemple «l'héros», ce qui enlève instantanément toute sa superbe à notre explorateur. Mais je décide de ne pas m'arrêter à ce genre de détails et de poursuivre ma lecture, tel Indiana Jones tentant de percer les secrets du crâne de cristal. Je sens, dans cette deuxième partie, que Desty est plus à l'aise, notamment lorsqu'il évoque la bande-son du film. Ça a l'air d'être son truc. Sa description de la portée morale de l'œuvre est également plus intéressante. «Ce long-métrage traite de l'arrogance de l'homme blanc qui exploite les indigènes – "Pourquoi prendre de haut des peuples et les rendre esclaves à cause de leur ethnie?" –, et donc de la question de l'immigration qui nous montre que les problèmes actuels se reflètent dans les histoires passées. Mais alors, «Pourquoi rien ne change?»

Le questionnement de Desty sur le film m'amène soudain à réfléchir. N'est-ce pas cela, la délégation? Une vision résolument déséquilibrée du monde, fondée sur une hiérarchie supposée entre les êtres et les peuples? Un nouveau type de colonialisme réintégré au cœur même des sociétés occidentales où une poignée d'individus finit par s'envisager comme une caste si extraordinaire que tout doit concourir à la satisfaction de ses désirs? L'émergence de ce qui pourrait s'apparenter à des «privilèges de masse» ne doit pas nous égarer : c'est justement parce que le monde glisse sur une pente inégalitaire que l'on trouve des bataillons de gens prêts à faire tout et n'importe quoi à votre place en échange de quelques piécettes. Les «privilèges de masse», qui figurent l'horizon fantasmatique de la sous-traitance low cost, ne sont pas le signe d'un embourgeoisement généralisé, mais le symptôme d'un monde où le rêve d'une vie exceptionnelle sert à masquer la réalité d'une existence appauvrie et standardisée. Je renvoie un message à Desty pour savoir s'il a aimé le film, il me répond que «oui». Pas follement emballé par sa critique, mais pas totalement déçu non plus, je décide de lui donner une deuxième chance. Quelques jours plus tard, je lui propose d'aller voir *Get Out*, un thriller dont tout le monde parle, en bien cette fois. Le magazine culturel que je lis habituellement aux toilettes en a d'ailleurs fait une critique élogieuse.

«Desty, je souhaiterais que vous alliez voir *Get Out*, dont j'ai pas mal entendu parler (apparemment, c'est LE film du moment sur l'Amérique de Trump!) et que vous me donniez un avis peut-être encore plus personnel que sur votre dernière critique, si possible. N'hésitez pas à me préciser ce que vous n'aimez pas. Merci.» Comme pour le précédent visionnage, je prends une option critique détaillée, à 11,10 euros TTC. Je reçois un message dès le lendemain : «Je n'ai pas trop aimé le film, du coup mon avis sera un peu plus condensé que celui d'avant.» Le tout est accompagné d'un fichier «Avis – Get Out.odt». J'ai l'impression que cette activité critique sert en réalité à payer les pop-corn de Desty, qui irait de toute façon voir les films, grâce à sa carte «Illimité». Bien qu'il n'ait pas trop aimé, les premières lignes du compte rendu se révèlent alléchantes : « *Get Out* amène le genre des thrillers dans une "dimension" encore jamais explorée, en effet le héros qui est de couleur noire serait mort dès les premières minutes dans un thriller classique, mais le scénario casse ici les codes du genre.» À sa manière, ce point de vue est totalement décoiffant, et je pourrais sans aucun problème le ressortir dans un dîner, si je souhaitais faire de la provocation. En gros, contrairement à ce que tout le monde raconte, *Get Out* ne serait pas un film sur le racisme de l'Amérique de Trump, mais au contraire une ode paradoxale à la tolérance, qui se traduit par le fait que le héros noir ne meurt pas dès le début, mais fait l'objet d'une torture qui dure tout au long de l'intrigue. Interprétation contestable, j'en conviens, mais originale... Bon, à part ça, la critique est plutôt ennuyeuse, pour ne pas dire bâclée, et je décide de ne pas renouveler l'expérience, le service s'étant dégradé entre la première et la seconde livraison. C'est un peu comme si McDonald's choisissait de servir un hamburger avec un steak ou juste une feuille de salade, en fonction de son humeur du jour.

Néanmoins, je n'abandonne pas totalement l'idée de sous-traiter ma vie culturelle. Si se tenir au courant de l'actualité cinématographique est important dans mon métier, lire des livres ne l'est pas moins. En revanche, cette dernière activité se révèle bien plus éreintante que de passer 1 h 30 devant un long-métrage. Combien de temps faut-il pour venir à bout d'un pavé de 800 pages ? En ce qui me concerne, plusieurs jours me seront nécessaires, car j'ai du mal à rester concentré très longtemps sur des alignements de caractères, fussent-ils extrêmement bien agencés. Je décide donc de m'inscrire sur Koober, une plateforme proposant des condensés d'ouvrages, à l'instar de l'appli Blinkist, en anglais. De la culture compressée comme une sculpture de César. Après mon inscription sur Koober, je reçois un message de bienvenue, où on me brosse vigoureusement dans le sens du poil neuronal : «Bravo, vous faites partie des personnes les plus intelligentes de la planète. Vous allez pouvoir accéder aux résumés de tous les meilleurs livres, tous les livres qui feront de vous une star. Allez, bonne lecture, et ne prenez pas peur si en quittant notre site vous avez l'impression de comprendre les choses plus vite… c'est l'effet Koober!» Il semble que je vienne d'installer mon campement au bord d'un fleuve où le savoir coule de source. Alexandre, mon contact chez Koober, m'envoie un message pour me proposer de souscrire à un de leurs parcours formation, qui se répartissent en six gros onglets : «Je monte mon business», «Je booste ma croissance», «Je deviens un leader», «J'arrête de procrastiner», «Je booste ma productivité», «Je préfère découvrir le site seul». J'opte pour la dernière proposition et je décide de lire le Koob intitulé *Avalez le crapaud!*, une synthèse permettant d'améliorer ma méthode de travail, en privilégiant l'effectuation rapide des tâches ingrates, symbolisées ici par le batracien qu'il s'agit d'ingérer sans mégoter. Au fait, qu'est-ce qu'un Koob ? C'est très simple. Le Koob (book à l'envers) est le produit qu'on obtient en compressant les informations contenues dans un livre : lu au préalable par quelqu'un d'autre, l'ouvrage sera transformé en une version ultra-condensée, restructurée autour de ses points clés. Ce capital, auquel on accède quasi sans effort, peut ensuite être mis à profit dans la vie de tous les jours, pour faire progresser sa carrière, briller dans une conversation, où tout simplement se persuader qu'on est plus intelligent. La biographie d'Elon Musk, une fois passée par ce processus de retraitement, ne nécessitera pas plus de 17 minutes de lecture. 17 minutes, c'est également le temps nécessaire pour venir à bout de *Réussir... et après*, le livre qui résume la philosophie du patron de Virgin, Richard Branson. La réussite, la disruption, la pensée en haut débit sont des thèmes récurrents dans l'offre de cette plateforme qui propose des essais à la mode à destination des cadres, angoissés par l'obsolescence de leur potentiel. De nombreux titres proviennent des États-Unis et ne sont pas encore traduits en français. Dans leur grande majorité, ils célèbrent le monde tel qu'il va, la ferveur entrepreneuriale, le dépassement de soi et la réussite professionnelle pour tout horizon. Comme j'ai un bon quart d'heure à ma disposition, je me plonge dans le koob de Richard Branson, où sont empilées beaucoup de platitudes : il faut rendre ses collaborateurs autonomes, satisfaire ses clients et privilégier l'innovation. Merci ! «Un bon manager doit aussi vérifier le tonus de ses salariés et les encourager constamment en les félicitant quand ils ont réussi, mais aussi en analysant leurs échecs. De la même manière, les décisions doivent être annoncées clairement, même si elles sont difficiles», peut-on lire, vers la 7e minute. Si elles évitent de perdre son temps en compulsant des ouvrages bien souvent exagérément délayés et à la prose dispensable, ces compressions éditoriales me laissent souvent un sentiment d'inachevé et, comble d'ironie, de superficialité. J'ai l'impression étrange de participer à une forme sophistiquée de vampirisme culturel, où seule compte l'absorption de connaissances, comme s'il s'agissait de plaquettes sanguines à siphonner. L'œuvre est réduite ici à son potentiel énergétique immédiatement assimilable, participant d'un bachotage étendu à la vie tout entière.

Après avoir dévoré à une vitesse supersonique *Avalez le crapaud!*, *Réussir… et après* et *168 Hours : You Have More Time Than You Think*, je m'attaque cette fois à un véritable Everest de la pensée, qui paraît presque anachronique au milieu des ouvrages de *self help* : *Le Capital au XXIe siècle*, de l'économiste français Thomas Piketty. Ce best-seller mondial étale sur 976 pages ses démonstrations ardues. S'il est de bon ton de le citer dans les conversations, qui peut sincèrement affirmer qu'il est allé au bout de cette somme monumentale sans en sauter une page ? Apparemment, pas grand monde. D'après une étude menée par le mathématicien Jordan Ellenberg, basée sur les passages les plus surlignés par les détenteurs de liseuses Kindle, seuls 2,4 % de ceux qui ont acheté *Le Capital au XXIe siècle* l'auraient réellement lu. Or, en ce qui me concerne, je n'aurai besoin que de 23 minutes pour en venir à bout. «Quels que soient les époques et les pays étudiés, remarque Piketty, la moitié la plus pauvre d'une population ne détient que 5 % du patrimoine national, soit rien ou presque. Les 10 % les plus riches possèdent entre 60 et 90 % du patrimoine national. Nouveauté ayant émergé au XXe siècle, les 40 % restant, la classe moyenne, possèdent entre 5 et 35 % du patrimoine national», puis-je lire, au fil de ce résumé détaillé. Je comprends que l'apparition des classes moyennes n'est en réalité qu'un arbre cachant la forêt : même s'il est devenu possible de changer de condition en travaillant, l'héritage reste encore le moyen privilégié pour constituer un patrimoine et les inégalités pourraient bientôt devenir pires que ce qu'elles étaient au XIXe siècle. «Livré à lui-même, le capitalisme s'emballe et rien ne pourra l'arrêter. Pour Thomas Piketty, la solution existe : un impôt progressif annuel mondial sur le patrimoine. Il permettrait de réguler la concentration des richesses sans pour autant renoncer à la propriété privée, ni mettre en danger la concurrence», est-il précisé, vers la fin du koob.

Durant ces 23 minutes de lecture, je ne peux nier que j'ai appris un certain nombre de choses, mais je ne peux manquer de m'interroger en parallèle sur la validité de ce concentré de connaissances. Qui a fait ce résumé ? Quelle est la légitimité du rédacteur payé pour retranscrire en quelques paragraphes une pensée complexe ? Le Koob n'est-il pas truffé d'erreurs et d'approximations ? Comme de nombreux domaines, la culture s'envisage désormais au travers de filtres, d'intermédiaires, de curateurs autoproclamés. Ce que nous sommes censés gagner en efficacité, nous le perdons en relation directe, en présence aux choses, en connexion profonde à une pensée. Néanmoins, la prochaine fois que quelqu'un évoquera Thomas Piketty dans une conversation, je pourrai, ô joie dérisoire, d'un air détaché, faire croire que je l'ai lu. Oui, et jusqu'au bout.

CHAPITRE 11

Comment, après un premier échec,
j'ai tenté de déléguer à un nouveau sous-traitant
la *love story* centrale de ce livre

Service testé : Net Dating Assistant

Certes, je ne suis pas en train d'écrire un remake de *Cinquante nuances de Grey* mais proposer un livre sans une once d'érotisme, uniquement composé d'histoires de livraison de plats cuisinés et d'aspirateur robot récalcitrant, semble inconcevable, pour ne pas dire commercialement suicidaire. Si je n'offre pas à mon lecteur une *love story* digne de ce nom, je dois au moins pouvoir lui en proposer un embryon, des prémices, un frémissement... Voilà pourquoi, après un premier échec, j'ai à nouveau entrepris de tester, par procuration, la drague par délégation. Pour cela, j'ai choisi un nouveau sous-traitant, candidat ayant émergé comme une évidence à la suite d'un âpre processus de sélection dans mes contacts. François est un quinqua poivre et sel – avec tout de même beaucoup plus de sel que de poivre – qui travaille dans la communication. Pour résumer sa vie sentimentale, on pourrait utiliser la fameuse formule de Facebook : c'est compliqué. Esprit vif, drôle, plein de panache, François a immédiatement accepté de participer à cette expérience d'un genre nouveau, autant par amitié que par goût de l'aventure, expérience qui, sous l'effet du numérique, s'inscrit dans un contexte d'automatisation croissante des relations sentimentales.

Alors que le champ des possibles s'est incroyablement élargi, une nouvelle approche gestionnaire de l'économie de la rencontre a vu le jour ces dernières années. Aujourd'hui, on peut gratifier ses relations de mots doux pré-écrits en utilisant un agent conversationnel qui citera Shakespeare (LoveBot) ou s'offrir les services d'un robot qui aura la lourde charge de rompre à votre place (Ghostbot). Fonctionnant exclusivement en anglais, ce service envoie des messages à vos contacts indésirables : «Désolé pour le dîner de ce soir, mais je suis débordé de boulot!» L'insistante conquête Tinder qui revient inlassablement à la charge recevra alors un ensemble de textos décourageants, parfois même désagréables, rédigés par ce chatbot opiniâtre, jusqu'à ce qu'elle finisse par lâcher prise. La personne que vous souhaitez éconduire disparaîtra comme par enchantement de vos préoccupations quotidiennes, méthodiquement poussée vers la sortie par cette intelligence artificielle spécialiste du «ghosting». Se faire «ghoster», c'est subir l'outrage d'une «fantomatisation» sociale forcée. Aujourd'hui, le commerce amoureux peut se passer en grande partie de ce qui lui était jusque-là constitutif : l'investissement charnel entre deux êtres, la présence, l'autre. Sur le site Ashley Madison, il est même possible de passer ses journées à dialoguer avec des tentatrices robotisées qui ont plus ou moins avantageusement remplacé les messageries roses du Minitel. C'est dans ce contexte des plus complexes que François entre en scène. Je lui ai expliqué en détail que, la précédente tentative d'infiltration ayant échoué, il était important de recueillir des informations sans se montrer trop curieux, pour ne pas éveiller les soupçons. Après un premier contact rapide avec Vincent, le patron de Net Dating Assistant, François fait parvenir à son interlocuteur ce message récapitulatif, histoire de le mettre en confiance :

«Bonjour Vincent,
Je m'appelle François et j'ai entendu parler de votre

site sur internet. Je suis célibataire séparé et vis avec ma fille de 20 ans. J'ai 52 ans, je suis très svelte et j'ai la chance d'avoir encore des cheveux même s'ils sont majoritairement blancs. Je suis passionné de sport, de musique et par tous les arts. Je travaille comme consultant en marketing pharmaceutique, gagne à peu près correctement ma vie mais vraiment sans plus, ces dernières années ayant été très dures dans mon secteur, et les perspectives actuelles n'étant pas bonnes. Je souhaiterais idéalement rencontrer une femme, célibataire ou en couple, de 30/40 ans, pour engager une relation. Pour l'instant j'ai testé Gleeden et les applis Happn et Tinder et j'ai eu très peu de rendez-vous (3 seulement avec Gleeden par exemple, malgré des dizaines et des dizaines de messages envoyés, et je parle bien de vrais messages et non de simples "coups de cœur"). Je souhaiterais rencontrer des femmes dès que possible à partir de maintenant et dans le courant du mois de juillet, où je vais avoir pas mal de temps disponible. J'attends votre réponse pour savoir si vous pouvez m'aider dans mon objectif. Cordialement,

François,

PS : Ma démarche vers vous est évidemment STRICTEMENT confidentielle et privée et je vous remercie de respecter cela. »

François complète cette habile entrée en matière par un envoi de photos personnelles. Quelques jours plus tard, il reçoit un message moyennement diplomatique de Vincent, formulant des critiques au sujet de cette production iconographique jugée trop débraillée : «J'ai demandé un avis en interne : "Oui, il est pas mal physiquement. Mais les photos sont vraiment moches en revanche. Notamment : 1/ le selfie, ça se sent beaucoup ; 2 / univers qui ne fait pas rêver et sans dynamisme, ça sent l'ennui ; 3 / pas d'effort de présentation ; 4 / pantalon qui tire-bouchonne ; 5 / lumière plate sans relief. Mais il a du potentiel et gagnerait beaucoup à un shooting précédé de l'achat d'un pantalon qui tombe mieux sur les chaussures / ou d'un simple ourlet.» Ce discours relatif au potentiel inexploité et au pantalon qui tire-bouchonne est à ce point cousu de fil blanc qu'il ferait presque penser à un sketch de Chevallier et Laspalès. Avec un sens aigu de la tautologie, Vincent confirme par ailleurs à François qu'il est «en mode échec». En me forwardant ce message, mon sous-traitant ajoute un petit commentaire amusé : « Heureusement que je suis solide dans ma tête, hein ! » Là encore, Net Dating Assistant propose une séance photo à

150 euros, précisant que l'image – désexualisée, sans pose suggestive ni poils apparents – et le texte d'accroche se doivent d'être impeccables. Ils constitueraient «50 % des chances de succès», dans un univers où la concurrence est de plus en plus rude. François décline poliment la proposition par texto : «Merci pour cet avis Vincent... De mon côté comme je vous l'avais expliqué, investir financièrement 500 euros, c'est déjà très important pour moi en ce moment. J'ai bien noté tous les commentaires. Je vais tenter de refaire des photos ce week-end, en costume ou avec un jean qui ne tire-bouchonne pas et je vous les envoie dimanche soir au plus tard. Je vais me faire aider par une amie et j'espère qu'on arrivera à quelque chose qui paraîtra correct à votre associé, car je voudrais pouvoir lancer le projet au plus vite, étant donné que le mois de juillet serait idéal pour moi pour faire des rencontres.» Pour ne pas faire exploser le budget, nous passons alors une partie du week-end, mon sous-traitant et moi, à tenter de réaliser un shooting acceptable, grâce à mon appareil qui bénéficie de l'option «flou de profondeur». J'ai l'impression d'être Annie Leibovitz en pleine séance photo pour *Vogue Hommes*. François prend la pose, sur fond de cour d'immeuble parisien

floue, de bibliothèque floue, de cheminée en marbre floue, soit autant de signaux prestigieux et flous censés décupler son attractivité sexuelle. Pour l'occasion, il a mis une chemise repassée, une veste bien coupée et un pantalon qui ne tire-bouchonne pas.

Les photos semblent faire l'affaire puisque, quelques jours plus tard, François se voit enfin attribuer un assistant personnel : Denis. «Je ne suis pas magicien, je travaille dans l'univers du possible», précise ce dernier, à l'occasion d'un entretien téléphonique préliminaire. Pour épater son interlocuteur, Denis, qui traîne dans la voix un fond de gouaille parisienne, glisse entre deux phrases une référence aux *Cavaliers* de Joseph Kessel. Cette conversation a pour objet de recueillir un maximum d'informations, afin que le Net Dating Assistant puisse par la suite se glisser dans la peau du personnage qu'il doit interpréter. Pour éviter toute dissonance, il siphonne, durant plus de deux heures, une quantité impressionnante de détails : cadre de vie du client, travail, loisirs, expériences récentes, projets à court terme, opinions politiques, religion, rapport aux enfants, au statut social, on dirait presque un test d'évaluation de l'Église de Scientologie... Vient ensuite le moment de sélectionner les critères relatifs à la femme ciblée : origine, corpulence, catégorie socioprofessionnelle, opinions politiques... «Tous les détails comptent, précise Denis. N'espérez pas draguer une femme prof si vous n'êtes pas vous-même de gauche.» La réalité devient ici extrêmement normée, sa diversité ayant tendance à disparaître sous l'effet de catégories uniformisées, de lieux communs maçonnés à la truelle et de grandes lois statistiques. Sans doute dans l'idée de donner un vernis de scientificité à son discours, Denis ne cesse d'ailleurs de citer la théorie des jeux et la courbe de Gauss... «Pour un homme, la statistique, c'est "- 5 + 1". Soit une fourchette où l'âge de la femme devra osciller entre - 5 ans à + 1 an par rapport à l'âge du client. Avec les femmes occidentales, c'est vraiment très dur de sortir de sa zone d'âge. En revanche, les Africaines acceptent beaucoup plus facilement un homme plus âgé, culturellement, ça ne leur pose aucun problème», professe Denis, dont les propos sont en partis dictés par l'objectif de décrocher rapidement des rendez-vous. Son argumentaire a donc pour fonction de dissuader le client qui voudrait s'orienter vers des demandes jugées trop irréalistes, des femmes trop jeunes, trop belles, trop convoitées. À François on explique que, dans sa tranche d'âge, les rencontres sont plus souvent fondées sur la notion de «bon moments» que sur celle de «relation durable». En la matière, la devise de Denis résume bien cette politique de réfrigération préalable des espérances : «Ne s'attendre à rien, être prêt à tout.» À l'issue de l'entretien, François reçoit un message relatif à la privauté des données : «Tous nos échanges sont strictement confidentiels, vous pouvez compter sur ma discrétion. Ils seront consignés dans un document que je vous remettrai et que je détruirai à la fin de notre collaboration, conformément aux recommandations de la loi informatique et libertés.» Pour mener à bien sa prospection, Denis utilisera le site Adopte un mec et la fameuse technique du «carpet bombing», consistant à catapulter un tapis de «charmes» sur les cibles, désignées au préalable d'un commun accord. Coût du service : 470 euros. Coût de l'abonnement à la plateforme + un lot de 200 «charmes» : 55 euros. Coût total des opérations : 525 euros TTC.

Quatre jours plus tard, Denis a mis au point ce qu'il appelle la «narration», une épaisse couche de *storytelling* qui doit transformer le profil un peu anonyme de François en véritable blockbuster de la séduction. Première pierre de cette stratégie, le choix d'un pseudo aphrodisiaque, aussi envoûtant qu'une marque de café italien : Sotto Voce. « Personnellement, je trouve ça très clivant, commente François. Plein de gens ne savent pas ce que ça veut dire et ça fait très cultureux prétentieux. » Vient ensuite la description où la qualité de bassiste amateur de Sotto Voce est mise en avant en vue de produire une immédiate stimulation organique, digne d'un accord électrifié : « Pour être entendu, rien ne sert de crier. La basse n'a besoin que d'un frôlement de doigts pour faire vibrer nos tréfonds. La gentillesse, la prévenance, l'attention sont des qualités sans vacarme. Voilà, c'est moi. » La « Shopping list », assez générique pour ne fermer aucune porte, reprend quant à elle des figures de styles déjà éprouvées avec d'autres clients, convoquant aussi bien les peurs primaires que la mise en exergue d'un hédonisme passe-partout :

« Recherche celle qui voudra explorer, voyager, découvrir !
Recherche celle qui me surprendra et pas en criant bouh !
Recherche celle qui a peur des araignées et que je rassurerai.
Recherche celle qui me laissera m'enfermer pour bosser ma basse.

Recherche celle qui préfère les Church's aux pantoufles !
Recherche celle qui sait qu'il faut avoir un peu souffert
pour être heureux. »

Quelques informations supplémentaires
complètent le profil. Alcool : «De temps en temps.»
Tabac : «Tolère la fumée.» Durant ces longues
minutes d'échanges, François, mon sous-traitant
à moi, en apprend un peu plus sur Denis, son
sous-traitant à lui. Celui-ci fait partie des vingt
Net Dating Assistant qui officieraient en France.
Au cours d'une vie antérieure, Denis travaillait
dans le cinéma, comme ingénieur du son, avant de
«réorienter» sa carrière vers ce secteur émergent.
C'est un reportage télévisé qui lui a fait découvrir
l'existence de ce business. En plus de l'expérience
accumulée grâce à sa fréquentation assidue du
site Meetic, Denis a reçu une courte formation,
dispensée par la plateforme, pour lui apprendre
les rudiments de la séduction augmentée. Celle-ci
repose en partie sur une technique de survalori-
sation de soi-même, que l'on appelle le «*prizing*».
Dans ce qui peut s'apparenter à une forme de
bluff, jamais celui qui tente de séduire ne doit apparaître en demande, ou en situation de manque. Au
travers de cette gymnastique consistant à s'auto-

attribuer un «prix» énorme, il s'agira au contraire de démontrer une confiance à toute épreuve dans les échanges et de faire sentir à l'interlocutrice que l'on est animé par un «esprit d'abondance», tel celui qu'affiche le prédateur repu. L'obtention du rendez-vous, qui est pourtant le but ultime des échanges, ne doit jamais apparaître comme une nécessité mais intervenir naturellement, demande glissée dans le fil de conversation de manière quasi anecdotique selon la méthode dite «Columbo». L'inspecteur à l'imperméable, spécialisé dans le fait de noyer le poisson au milieu de tout un tas d'autres considérations aurait en effet inspiré cette technique de prise de rendez-vous quasi subliminale. Elle s'avère d'autant plus nécessaire que le confort des échanges électroniques tend à accentuer, chez de nombreuses conquêtes potentielles, un phénomène de bovarysme numérique. Comparé à ces dialogues enivrants qui n'exigent pas de réelle implication, le «passage au réel» a toujours un petit quelque chose de traumatique. Comme ses collègues, Denis officie aujourd'hui avec un statut d'auto-entrepreneur et gagne aux environs de 16 euros de l'heure. Il travaille avec trois écrans en simultané et peut gérer jusqu'à douze clients en même temps. Pour que les références culturelles soient les mêmes, l'âge du Net Dating Assistant doit, plus ou moins, coller à celui du client, évitant ainsi que ne se fassent jour des dissonances générationnelles dans le discours. Denis, passionné de hacking éthique et trader de bitcoins à ses heures perdues, a, quant à lui, 60 ans. «L'abonnement au site est actif et prêt à fonctionner, écrit le Don Juan de substitution, quelques jours plus tard. Vous pouvez rajouter quelques infos sur votre profil, mais évitez de tout remplir, ça fait maniaque. En revanche, je veux bien que vous ajoutiez des titres de films, des noms de livres, de musique, de séries télé, ça cadre avec votre personnage et je veux bien que cette partie-là soit riche.» Ces précisions permettent de commencer à effectuer un début de tri automatisé. À peine Sotto Voce a-t-il signalé sa passion pour l'auteur de *Bel-Ami*, qu'une série de profils s'affiche sur sa page, sous l'intitulé «Elles aiment aussi #Maupassant». Par une contorsion mentale dont il a le secret, le Net Dating Assistant se glisse alors dans la peau de son client, laquelle est restée ferme grâce à la pratique assidue de la boxe française, du running et du badminton. Alors que l'été alourdit le ciel de Paris, un déluge de «charmes» incandescents va bientôt s'abattre sur les bataillons de cœurs en friche.

CHAPITRE 12

Comment j'ai tenté de ne plus faire la queue en faisant appel à un cyber-valet aux identités multiples

Service testé : Mr Gustave

Qui n'a jamais rêvé de s'éviter une queue interminable, cette pénitence de la religion consumériste qui fait parfois ressembler l'hyper-capitalisme aux pires heures de la pénurie soviétique ? Aux États-Unis, existent ceux que l'on appelle les «managers de file d'attente», payés quelques dollars de l'heure pour poireauter à votre place devant un Apple Store pour y récupérer le nouvel iPhone, patienter devant une boulangerie pour y acheter un cronut (croissant + donut) ou regarder l'aiguille de l'horloge avancer au ralenti dans une administration surpeuplée. Le temps est un bien précieux, et il semble totalement absurde de le gaspiller dans une file d'attente qui n'avance pas au risque de s'entendre dire à l'arrivée qu'il faudra repasser car il manque une pièce au dossier.

Le sujet est devenu si sensible que, dans les parcs d'attractions, des forfaits « coupe-file » divisent désormais le monde en deux classes distinctes : ceux qui font encore la queue et ceux qui passent devant. Quant à moi, même si je ne suis pas du genre à faire le pied de grue pendant douze heures pour obtenir la dernière console Nintendo, je me trouve régulièrement confronté à des files d'attente de tailles respectables, à la poste ou ailleurs, dans lesquelles je dilapide de précieuses minutes que je pourrais consacrer à autre chose. Voilà pourquoi j'ai choisi de faire appel à Mr Gustave, un cyber-valet qui réactive, en version numérique, l'imaginaire des grands palaces. À peine me suis-je connecté sur la page d'accueil de ce service de conciergerie en ligne qu'une fenêtre de discussion s'ouvre dans un coin de l'écran : « On vous aime. Vraiment. On vous aime tellement qu'on vous fait des cadeaux par mail. Promis, on ne vous spame pas. » Ce Mr Gustave, concierge virtuel d'un nouveau genre, est bien loin du majordome du début du siècle, taiseux, pétrifié et lugubre, dont les manières de statue de cire donnaient à n'importe quel encadrement de porte des airs de tombeau gothique. En la matière, l'archétype reste le personnage glacial qu'incarne Eric Von Stroheim dans *Boulevard du Crépuscule*. On ne sait jamais très bien s'il est là pour vous rendre sincèrement service ou bien pour vous enterrer au fond du jardin, après un coup de pelle net et sans bavure. Avec Mr Gustave, au contraire, nous sommes immédiatement plongés dans un bain d'affectivité bouillonnante qui a sans doute été conçu comme une sorte d'imparable Viagra relationnel. Afin de produire un feedback adéquat à cette effusion inaugurale, je suis invité, au choix : à donner mon adresse e-mail pour de prochains échanges ou bien à répondre directement à Mr Gustave en cliquant sur l'onglet «Je vous aime aussi». Enfant optionnel du binarisme informatique, l'amour automatisé ne mange pas de pain. Je décide d'en savoir un peu plus sur celui qui, dans un avenir plus ou moins proche, sera peut-être amené à gérer mes petits tracas et à connaître une part non négligeable de mes secrets fonctionnels les plus inavouables (double vie professionnelle, problèmes digestifs, achat compulsif de livres). Mr Gustave est mobilisable 7 jours sur 7, 24 heures sur 24, et se propose de prendre en charge toutes les tâches qui m'encombrent au quotidien. Au départ, je ne sais pas trop quoi lui demander. Alors, le zélé concierge me prend par la main et me montre, par écran interposé, des exemples de requêtes qui pourraient m'inspirer : «Merci de me livrer le nouvel iPhone!», «J'ai soif, livrez-moi un Starbucks à domicile!», «J'ai besoin d'un bouquet de fleurs», «Je veux un McDo livré à domicile», «J'ai besoin d'une nouvelle montre», «Allez récupérer mon colis à la poste», «Merci de m'apporter une manette de PS4 au plus vite», «Merci d'amener mes baskets chez SneakersnChill», «J'ai besoin d'une paire de lunettes de soleil»... Et la litanie tutorielle se poursuit de la sorte, surfant sur un champ lexical essentiellement impératif : «Je veux», «J'ai besoin», bref, un type de formulation extrêmement autoritaire que tout adulte sensé interdirait à ses propres enfants...

À sa manière, ce type de service opère une forme de rééducation foncière de l'individu. Moi qui, comme tout être humain, ai intégré la frustration et la restriction comme composantes essentielles de l'existence, j'apprends que c'est désormais le caractère impérieux de mon désir qui doit diriger ma vie. Si je veux dévorer un Big Mac en pleine après-midi, il n'y a rien qui doive se dresser entre cette pulsion stomacale et sa satisfaction quasi immédiate. Ce à quoi m'invite Mr Gustave, c'est à formuler des besoins qui – loin de m'être réellement nécessaires – sont en réalité indispensables à la marche en avant du système et à l'entretien de sa prospérité à court terme. Aujourd'hui, comme souvent, mon majordome est chargé d'aller récupérer pour mon compte des colis dans un Point Relais de mon quartier. Les livreurs de Chronopost ne prenant généralement pas la peine de sonner chez moi (alors que je ne quitte que très rarement mon ermitage), ils déposent les paquets dans les échoppes des alentours. Cette fois, c'est au Bazar de Pantin. C'est tout près, mais comme j'ai pas mal de travail, je préfère déléguer. Je tape ma requête sur l'interface de l'application et, après un petit temps d'attente, celle-ci est acceptée. L'appli me signale qu'un majordome est en route pour venir chercher ma pièce d'identité, afin de pouvoir effectuer l'opération à ma place. Quand le concierge arrive, je m'aperçois immédiatement de l'écart entre l'imagerie véhiculée par le site, cet archétype de valet à fines moustaches inspiré par l'acteur Ralph Fiennes, et la réalité : sortant de l'ascenseur, le vrai Mr Gustave est un coursier black harnaché comme un cyber-combattant. Sur son avant-bras, un écran de smartphone est protégé sous une pellicule de plastique pour œuvrer sous la pluie battante. La dureté de son métier transparaît aisément au travers de son équipement de fantassin de la livraison. Pas de boutons dorés. Pas de haut-de-forme. Pas de cheveux gominés. En revanche, si ce Mr Gustave reste éloigné des clichés vestimentaires de sa profession, il a des manières impeccables : doux, prévenant, il donne le sentiment étonnant d'avoir la journée devant lui, ce qui est extrêmement agréable. Je lui confie sans hésiter mon passeport pour qu'il puisse mener à bien sa mission. Il revient une demi-heure plus tard, avec mes trois paquets. La course m'aura coûté 9,20 euros et m'aura fait gagner un temps précieux, que j'ai pu consacrer à autre chose (je ne sais plus si c'était une sieste ou l'ascension à mains nues d'un pic de productivité). «Si le service vous a plu, n'hésitez pas à nous recontacter», me dit le majordome motorisé, avant de prendre congé et de rejoindre sa base, vers Nation, à l'autre bout de Paris. Mon bilan carbone est encore désastreux. Je reçois dans la foulée une demande d'évaluation. Ce retour d'expérience permanent est la plaie de l'économie numérique. Tout doit être classé, soupesé, quantifié. «Notez notre majordome», me demande le message. Vu la qualité irréprochable de son service, Thierry – c'est son prénom – obtient de ma part la note maximale : 4 nœuds papillons. Comme j'y suis invité, j'ajoute un petit commentaire : «Super! Thierry est non seulement très efficace mais de plus extrêmement courtois. Je vous recommande vivement ses services.» Quelques jours tard, c'est Mohamed qui va retirer pour moi un recommandé à la poste. Vêtu d'un bas de survêtement PSG et d'un tee-shirt orange fluo, Mohamed effectue ses courses en voiture. Étudiant, il a trouvé là un moyen simple de se faire un peu d'argent de poche, travaillant à temps partiel durant l'année universitaire, à temps plein pendant les vacances. Comme Mr Gustave ne lui fournit pas assez d'activité, il collabore à d'autres plateformes de livraison. «J'ai commencé avec UberEats, puis j'ai arrêté, parce que j'étais très mal payé», me dit-il, en me tendant le paquet qu'il vient de rapporter. Derrière la façade lisse d'une conciergerie de palace démocratisée où les majordomes sont tous censés être blancs et à moustache, c'est le prolétariat de banlieue qui s'active en coulisses. Le football, dont on sent la forte influence aux travers des motifs vestimentaires, semble y figurer un rêve d'ascension sociale pas encore totalement anéanti. Je remercie Mohamed, efficace et lui aussi d'une exquise politesse.

Si Mr Gustave se révèle tout à fait utile lorsqu'il s'agit d'aller faire la queue à ma place ou de récupérer des colis, sa disponibilité laisse néanmoins à désirer. Bien souvent, sur l'écran du smartphone, s'affiche le message suivant : «Tous nos majordomes étant déjà en mission, nous vous invitons à patienter ou à recommander plus tard.» Par ailleurs, l'étendue des tâches susceptibles d'être effectuées par Mr Gustave reste limitée. Contrairement à un véritable concierge, dont la dévotion ne semble pas avoir de limite, le majordome low cost refusera les demandes si elles sortent du cadre strict qu'il a lui-même fixé. J'en ai fait l'expérience en formulant, un jour, cette requête s'éloignant involontairement des clous : «Bonjour, dans le cadre d'un projet éditorial que je suis en train de terminer, j'aurais besoin de décrire les allées désertes du centre commercial Le Millénaire, à Aubervilliers. Mais comme je n'ai pas le temps de m'y rendre, je souhaiterais que vous alliez faire quelques vidéos au smartphone sur place, pour me les envoyer ensuite. Merci.» Refus catégorique – et non motivé – de Mr Gustave, qui a peut-être vu dans mon ordre de mission la demande d'un djihadiste souhaitant sous-traiter ses repérages avant un attentat. À distance, avec des rapports essentiellement médiatisés par le biais de l'interface, la confiance n'est pas si évidente à établir. Il me faudra encore du temps pour gagner le cœur de Mr Gustave et apprendre à mieux le connaître. Pour cela, je flâne un peu sur le site, où je tombe sur un poème à la gloire de ce Golem serviciel. «Ô Mr Gustave / Grâce à toi notre bonheur est monté d'une octave / Tu es comme un ange gardien / Tout droit sorti d'un film hollywoodien / Tout comme le Printemps, tu es arrivé / Notre smartphone était déjà prêt à te télécharger / Des ennuis tu nous as évités / En allant acheter des cadeaux pour nos fiancées / Toujours à nos côtés / Tu es notre meilleur allié / Face à la pression du quotidien / Tu nous fais beaucoup de bien.» Au temps de l'ultra-rationalisation de tout, cet à-peu-près dans le champ de la versification a presque des airs de récréation.

Aujourd'hui, il fait hyper-chaud à Paris. De ma fenêtre, j'ai l'impression que le goudron est en train de fondre. Comme les pales d'un moulin à l'approche d'un nouveau Don Quichotte, le nœud papillon de Mr Gustave, figurant l'envoi d'une requête sur l'application, vient de se mettre à tourner : je fais à nouveau appel à mon cyber-valet, cette fois pour ramener des livres et un DVD à la bibliothèque de la Cité des sciences de la Villette. Ce n'est pas très loin de chez moi, mais aller et venir me prendrait, en comptant le dépôt des documents, au minimum une heure. Aujourd'hui, Mr Gustave est un jeune homme noir, portant un survêtement de foot et des claquettes en caoutchouc qui lui donnent des airs de footballeur au petit déjeuner. En ce moment, la France est, il est vrai, totalement submergée par le phénomène «claquettes-chaussettes», coquetterie où le summum du chic consiste à être chaussé comme Franck Ribéry au saut du lit. Je note tout de suite que, sous cette nouvelle incarnation, Mr Gustave fait encore preuve d'une civilité dans les échanges qui semble tout à fait naturelle, résultat d'une bonne éducation plus que d'un protocole poussif de relation clientèle. Il n'a rien à envier à l'archétype du majordome. Je tends au jeune homme ma carte de bibliothèque. «Ne vous embêtez pas à la remonter, vous pouvez me la laisser dans la boîte aux lettres», lui dis-je. «Si, si, je vous remonterais la carte», insiste Mr Gustave, avec un large sourire qui dévoile une dent en or comme celles qu'arbore le rappeur Young Thug. Une heure plus tard, je reçois un message de mon majordome. Il me signale que les livres ont bien été déposés, mais qu'il n'a pas pu me rapporter la carte car la roue arrière de son scooter a subi une avarie. Trois heures plus tard, sans nouvelles de ma carte de bibliothèque, je lui envoie un petit message inquiet, pour savoir vers quelle heure je pourrais la récupérer. Réponse de Mr Gustave : «J'arrive chez moi dans 15 minutes dans le 13ᵉ arrondissement. Ensuite, je donnerai la carte à un autre coursier. Il vous la ramènera vers 19 h 30. Ça vous va ?» La carte arrivera bien à l'heure dite. En raison d'un dysfonctionnement de l'interface, je n'aurais finalement rien payé pour cette course. Si le recours à Mr Gustave peut sembler utile et abordable dans une certaine limite, tout cela ne résiste pas à l'examen lorsqu'on prend un peu de distance. Comment justifier une telle débauche d'énergie, de pétrole, de stress, de risques, pour convoyer un vulgaire paquet ? En fin de journée, mon Majordome, qui a finalement réussi à rejoindre l'autre bout de Paris, m'envoie un ultime message de contrition : «Encore vraiment désolé pour cette crevaison.»

CHAPITRE 13

Comment, après avoir tenté de louer des amis et de sous-traiter mes apéros, j'ai finalement détesté la convivialité de synthèse

Services testés : Book-a-friend, Le Petit Ballon,
Le P'tit Pinard, Kol

À Los Angeles, l'acteur Chuck McCarthy, spécialisé dans les rôles de gourous et de SDF, a lancé en avril 2016 ce qu'il a appelé «l'industrie de la compagnie». Pour 7 dollars par miles (1,6 kilomètre), ce barbu empâté, désormais surnommé « *The People Walker*», se balade avec des inconnus en discutant avec eux de tout et de rien. «J'ai pensé être promeneur de chiens, mais je ne voulais pas ramasser de crottes», explique Chuck sur sa page Facebook. Les discussions sont rarement très profondes et relèvent plutôt du simple bavardage itinérant, permettant de tromper l'ennui et la solitude qui sourdent de la mégapole américaine. Si cette mode consistant à faire de la figuration dans la vie réelle a initialement vu le jour au Japon, on en trouve également une variante en Chine, où des célibataires louent de faux conjoints pour le Nouvel An. À défaut d'avoir une relation, pourquoi ne pas simplement donner le sentiment qu'on en a une ? Dans le domaine de la sociabilité comme ailleurs, ce qui nous paraissait il y a quelque temps encore impossible fait désormais partie d'une forme de normalité. La science-fiction est devenue notre réalité quotidienne, un mode d'administration des consciences qui bouche l'horizon en le surinvestissant.

En France, pour s'offrir une conversation amicale sans avoir à gérer une amitié sur le long terme, avec tout ce que cela suppose de diplomatie et de gueules de bois, il faut se tourner vers le site Book-a-friend. L'annonce détaillant l'ambition relationnelle de cette plateforme est résolument œcuménique : « Book-a-friend est le leader mondial de la location d'amis par affinités. Book-a-friend vous permet de chercher, trouver et louer des amis adaptés à vos envies ou vos besoins, et ce quels que soient le pays, la ville, le jour, l'heure et la situation. Grâce à Book-a-friend, vous pouvez louer un ami ou un groupe d'amis, partout dans le monde, et selon une multitude de critères (physique, psychologique, géographique, compétences, hobbies, profession). Que ce soit pour une rencontre amicale, une rencontre amoureuse, pour aller boire un verre, discuter, faire du sport, de la musique, voyager, visiter, trouver une baby-sitter, apprendre la cuisine, enseigner votre savoir... les possibilités sont infinies. Vous pouvez aussi être un ami à louer et générer des revenus importants, gérer votre emploi du temps, vivre de nouvelles expériences, vous faire repérer par des professionnels et faire d'agréables rencontres. Vous pourrez même économiser de l'argent et limiter vos dépenses en pratiquant l'échange de services. Book-a-friend est le nouveau concept à la mode et la location d'amis s'adresse à tout le monde! Que vous soyez jeune, moins jeune, actif, retraité, heureux, malheureux, beau, laid... Book-a-friend est fait pour vous!» Pour ceux que le caractère para-prostitutionnel de cette relation «amicale» tarifée pourrait choquer, les concepteurs du service expliquent qu'on ne loue pas des gens, mais leur temps, leur disponibilité.

Je ne sais si, en raison de ce subtil distinguo, la marchandisation du monde a reculé d'un pas, mais je décide de tenter l'aventure. Je m'inscris en tant qu'«ami à louer». Mes tarifs défient toute concurrence, puisque je propose mes services gratuitement. Deux semaines plus tard, malgré ma stratégie de dumping amical, je n'ai toujours reçu aucune demande. Je change alors la photo un peu terne de mon annonce, que je remplace par une image plus avenante, supputant que le précédent selfie où j'affichais malgré moi des airs d'égorgeur psychopathe pourrait être une des raisons expliquant ce silence pesant. Et je renseigne plus précisément mon profil, à l'aide des nombreuses catégories que propose le site. Je trouve d'ailleurs assez drôle le fait que l'on puisse se définir, au travers des cases à cocher, aussi bien en positif, qu'en négatif. Book-a-friend propose ainsi, entre autres «Traits de caractère» susceptibles de se qualifier : «agressif», «asocial», «égocentrique», «fourbe», «grincheux», «prétentieux», «rancunier», «cynique», «intolérant», «paranoïaque», «brutal», «démagogue», «hypocondriaque», «libidineux», «paresseux», «dépensier», «hystérique», «mégalomane», «vulgaire», «autoritaire», «coléreux», «dépressif», «égoïste», «jaloux», «peureux». Il n'est pas une tare qui semble échapper à cet inventaire cataclysmique, la liste comportant également des qualificatifs positifs comme «zen». Techniquement, il est donc possible d'aller sur ce site et de se confectionner un profil des plus repoussants, en espérant ainsi trouver l'amitié.

Cette infinité de caractéristiques à disposition n'a en réalité qu'un but : cartographier l'intégralité des comportements humains potentiels pour que, par cette contractualisation du rapport à l'autre, l'aléatoire de la rencontre s'en trouve réduit au minimum. Véritable quartier sécurisé prônant l'entre-soi comme mode de vie, Book-a-friend propose de trouver un alter ego qui serait une pure projection de nos attentes, sans cette distance parfois abyssale qui nous sépare de nos contemporains. Un Autre qui serait moi, mais en un peu différent. Bien des indices laissent d'ailleurs supposer que la relation sociale s'oriente aujourd'hui vers une limitation de ce que l'altérité peut avoir de potentiellement embarrassant. Atteint d'un curieux accès de pro-activité, je rédige quant à moi sur Book-a-friend un petit message à l'adresse d'un «ami» potentiel habitant dans mon quartier, qui affiche un profil sans photo. Pour l'occasion, j'essaie péniblement de faire un peu d'esprit : «Bonjour Jajijog, j'aime bien votre photo de profil. Je ne sais pas si ça vous ressemble vraiment, mais en tout cas c'est poétique. Peut-être pourrions-nous prendre un verre en terrasse au bord du bassin de la Villette. Seriez-vous disponible cette semaine ?» En attendant la réponse de Jajijog,

la deuxième phase de cette opération de «convivialité automatisée» passe par la mise en œuvre
d'un service de livraison d'apéro efficace. Une fois
que j'aurais de nouvelles relations sans les coûts
fixes exorbitants qu'exige habituellement l'amitié
(oreille attentive aux plaintes, participation obligée
aux déménagements, prêt de livres qu'on ne revoit
jamais), je pourrai organiser de petites sauteries en
compagnie de mes quasi-amis, en limitant là aussi
les efforts nécessaires à la logistique évènemen-
tielle. Mais, attention, sans transiger sur la qualité,
car en France, on ne rigole pas avec l'apéro. Ce
rituel fait partie de l'art de vivre hexagonal et nous
définit au moins autant que la capacité à faire
grève avec l'arrivée des beaux jours ou à râler dès
qu'une nouvelle réforme des rythmes scolaires est
annoncée. J'opte donc pour une solution à deux
niveaux, qui permettra d'éviter à coup sûr l'ouver-
ture d'un vin bouchonné ou l'absorption d'une
piquette médiocre.

Niveau 1 : je constitue un stock, en m'abon-
nant aux services proposés par Le Petit Ballon,
une start-up qui effectue des livraisons de vins par
courrier, sur le mode de l'ApéroPostal. L'avantage
– outre le fait de ne pas avoir à se rendre chez le
caviste –, c'est que les crus sont sélectionnés par un

«Maître Sommelier». Le site propose également de nombreux conseils de spécialistes, tels ceux de la blogueuse Miss Glou-Glou. La première livraison que je reçois, en plus d'une bouteille de bordeaux blanc, est un étonnant vin rouge sud-africain à 14°, qui décapite le sommet du crâne en quelques gorgées, aussi efficacement qu'une machette. Jamais je n'aurais acheté ça moi-même, d'où l'intérêt du service.

Niveau 2 : Rassuré sur la capacité du Petit Ballon à gérer à ma place le roulement du stock, je teste la réactivité des différents services de livraison d'apéro qui encombrent la place, susceptibles de répondre à un impondérable, type fête imprévue nécessitant la constitution rapide d'un important stock d'alcool. Vesper, Kol, Goot : ils sont nombreux à s'être mis sur le créneau de la libation téléportée. Je choisis dans un premier temps d'essayer les services du P'tit Pinard. C'est marrant, cette référence récurrente à la petitesse : Petit Ballon, P'tit Pinard, comme si la taille réduite d'un service était le gage de son authenticité. Le P'tit Pinard exalte le «terroir français» et surfe clairement sur le revival de la fierté hexagonale, une sorte d'esprit cocardier mi-technologique mi-patrimonial, un peu comme si on avait réussi

185

à transformer Jean Carmet en androïde. Après avoir passé commande de vin, fromage et charcuterie, je descends faire un «p'tit» tour dehors. En rentrant, je tombe sur le type du P'tit Pinard en bas de chez moi qui me tend une «p'tite» boîte en carton, sur laquelle est dessiné un «p'tit» smiley au stylo-feutre. Preuve irréfutable que l'on est dans le registre de la convivialité véritable, de la chaleur humaine encore possible, de l'intensification du lien social, tout cela passant bien sûr avant des visées commerciales qui font tout pour paraître secondaires. J'ouvre le «p'tit» colis. Tout y est pesé au gramme près. Emballé dans du papier, les tranches de fromage semblent avoir été découpées au laser. Rien à redire, mais pas de charme particulier non plus. La charcuterie est bonne, le pinard pas mauvais, mais ce qui domine surtout, c'est l'enrobage marketing, cette façon de vendre, en plus d'un service, une sorte de 14-Juillet éternel, avec ses lampions, ses bruits d'accordéon et ses feux d'artifice tricolores. Une fois que l'on se retrouve face au produit lui-même, la désublimation est fulgurante et l'on se rend compte qu'on vient d'acquérir, non pas une expérience de vie transcendante mais un simple bien de consommation, un «p'tit» bien, en l'occurrence. Eh oui, tout ceci n'est que du vin et du fromage et non pas le remake lyophilisé d'*Un singe en hiver*! Sans nouvelle de mes quasi-amis de Book-a-friend, je décide néanmoins de parfaire mon dispositif de livraison d'apéros en testant les services de Kol, dont l'appli précise «l'abus d'alcool est dangereux pour la santé» (ah bon?). Le jour où je passe ma commande, il fait tellement chaud à Paris que j'opte pour un paquet d'amuse-bouche et une bouteille de rosé, en rêvant de fraîcheur ruisselante. Mais, à 20 heures passées, alors que chaque particule d'air semble avoir été lestée de poids brûlants, le livreur n'est toujours pas arrivé et nous nous rabattons finalement, ma compagne et moi, sur une bouteille de rouge tiède entamée la veille. Les enfants boiront de l'eau avec un peu de sirop. Trop de sucre nuit à la santé. Lorsque, ding-dong, 20 h 30, l'envoyé de chez Kol se manifeste à l'interphone, et surgit quelques instants plus tard de l'ascenseur, comme un diable de sa boîte. Lunettes de clubber sur le nez, il me tend un paquet. «Vérifiez quand même que c'est bien ça», me dit-il, avec un grand sourire. Il a l'air presque aussi étonné que moi de constater qu'on puisse faire appel à ce type de service – c'est en tout cas ce que je lui attribue comme pensée, à ce moment précis. La bouteille est à peu près fraîche, mais pas vraiment glacée non plus. Je la remets donc au frigo. Nous la boirons demain.

Un mois a passé depuis mon inscription sur Book-a-friend et je n'ai toujours reçu aucun message. J'ai l'impression que ce site n'est rien d'autre qu'un désert de Gobi amical. Ou peut-être en ai-je mal saisi les enjeux, les codes, l'esprit ? Peut-être est-ce finalement la gratuité qui est suspecte aujourd'hui ? Qui pourrait envisager une relation amicale non tarifée si ce n'est un déviant avec d'inavouables pensées ? Dans le flou, je décide d'adresser un message aux responsables de Book-a-friend, afin d'obtenir des éclaircissements :

« Bonjour,

Malgré mes nombreuses demandes d'amitiés, je n'ai reçu aucune réponse. J'ai complété mon profil et ajouté une photo, pas de réponses non plus. Je me demande si c'est moi qui ai un problème ou si votre service est vraiment actif, fonctionnel. Dois-je modifier ma démarche pour plus d'efficacité, et si oui dans quel sens ?

Cordialement,

Nico19 »

Malgré les jours qui passent, je ne reçois strictement aucun message. Silence radio total. Dans
ce contexte, il ne faut pas s'étonner de la percée
des chatbots, ces agents conversationnels tels que
Cortana, Alexa ou Google Home, qui ont pour
vocation de remplacer une humanité devenue
de plus en plus mutique. Comme si une bombe
à neutrons avait explosé, j'ai le sentiment de me
balader dans les brumes d'un site fantôme qui,
pourtant, continue à envoyer des notifications
automatisées sur ma boîte mail, pour me prévenir
de l'inscription de nouveaux «friends». J'adopte
alors une stratégie amicale beaucoup plus agres-
sive, mettant au point un message générique que
j'expédie aux 320 profils qui se trouvent dans un
rayon de vingt kilomètres autour de chez moi. Mon
texte est certes un peu gnangnan, mais je me dis
que, sur la masse, en tablant sur la loi des grands
nombres, et avec un peu de chance, je vais bien
tomber sur quelqu'un qui voudra de mon amitié
gratuite.

«Bonjour,
Parce que l'amitié n'est pas une marchandise,
parce qu'une belle rencontre peut toujours arriver,
parce que c'est en se connectant aux autres qu'on

sait mieux qui l'on est, parce que la solitude n'est pas une fatalité, et pour tout un tas d'autres raisons qu'il reste à inventer ensemble, je te propose de prendre un verre dans les quinze jours qui viennent, pour faire connaissance et discuter. Ma démarche est totalement amicale car, pour moi, notre capacité à nous relier est un trésor à cultiver.

Amicalement vôtre,

Nico19»

Il faut que je me rende à l'évidence : je suis devenu, si ce n'est un mendiant de l'amour, tout du moins un type qui déploie un peu trop d'effets de manche pour prendre un simple verre avec un inconnu. Dans le fond, je trouve l'existence de ce service totalement hallucinante. La fameuse phrase de Montaigne à propos de son amitié avec La Boétie – «Parce que c'était lui, parce que c'était moi» – serait-elle devenue un anachronisme à l'heure où les profils s'interpellent puis se jettent, avec la même implication affective que suscitent des Kleenex ? Ce site absurde ne participe-t-il pas d'un dispositif de persuasion plus global, visant, sous couvert d'optimisation, à disqualifier le mystère de la connexion des êtres au profit d'une gestion algorithmique des interactions ? Mon appel, lui, semble s'être perdu quelque part dans les arcanes de Book-a-friend, sans qu'aucun écho ne me parvienne. Une seule personne est venue consulter mon profil, mais sans prendre la peine de me répondre. Cette expérience vécue au contact du «leader mondial de la location d'amis par affinités» fut pour le moins déstabilisante, ferment d'une perte de confiance bien compréhensible, et je ne souhaite à personne de traverser un tel désert relationnel. Même imparfaits, mes vrais amis ne m'ont jamais fait connaître une telle avanie. Qu'ils en soient ici remerciés.

CHAPITRE 14

Comment je me suis finalement transformé en voyeur en plongeant dans le cœur artificiel du capitalisme sexuel

Service testé : Net Dating Assistant

9 juillet 2017, nouveau message sur le profil de Sotto Voce : «Mihal vous offre la possibilité de discuter avec elle. N'hésitez pas à lui envoyer un message pour tenter d'atterrir dans son panier.» Sur Adopte un mec, c'est la métaphore du supermarché qui sert de cadre référentiel à la mise en relation. Alors que sur les autres plateformes, les femmes croulent sous les demandes, elles sélectionnent ici les profils masculins qui les intéressent et choisissent ou non de les intégrer à leur liste de courses. Cette communication filtrée met la plupart des utilisatrices en confiance et facilite les échanges. Tout le travail du Net Dating Assistant consiste alors à inverser cette assignation inaugurale qui réduit l'homme à une vulgaire boîte de conserve. Comme il est rabaissé par l'ergonomie

de l'interface, celui qui vient d'être mis dans un panier virtuel doit alors démultiplier les signes lui permettant de faire remonter sa valeur sociale. Pour cela, tous les détails comptent. Le premier d'entre eux est, bien entendu, le choix de la photo du profil. Si vous optez pour un selfie, vous aurez sans le savoir réalisé votre premier faux pas signalétique : ce genre d'image envoie en effet un message inconscient désastreux qui laisse entendre que vous êtes si seul que vous avez été contraint de vous prendre vous-même en photo. Répondre trop rapidement aux sollicitations risque également de vous faire passer pour quelqu'un en demande. C'est donc après l'avoir fait attendre durant une bonne demi-heure que Sotto Voce, ventriloqué par Denis, répond enfin à Mihal : «Bonsoir, Mihal ! tout d'abord, merci d'avoir accepté mon "charme" (pour ne pas paraître prétentieux, je mets des guillemets !). J'ai cherché ce que signifiait "Mihal" et j'ai découvert que c'était un prénom… chose que je ne savais pas, mais ce n'est pas tout… on me dit que les Mihal sont sensibles à 60 %, intelligents à 80 %, et communicatifs à 80 % aussi… Vous vous y retrouvez ?» «Et Sotto Voce, c'est quoi ?» demande Mihal, qui, à l'issue d'un simple échange où s'est fait jour l'éventualité d'être confondue avec un garçon, a avoué qu'elle s'appelait en réalité Michelle. Existe-t-il meilleure stratégie pour amener quelqu'un à se dévoiler que de l'inviter à corriger une erreur? «Sotto Voce... pour le quoi, c'est bien sûr "à mi-voix". Pour le qui, c'est François. Enchanté, Michelle! J»

Dans un monde aux sollicitations toujours plus nombreuses, réussir à capter l'attention relève d'un vrai talent. Si vous vous mettez par exemple à souffler sur les braises d'une conversation anémique, il faudra le faire avec subtilité, sans montrer trop de volontarisme, en distillant au contraire un sentiment d'absolu détachement. En une phrase bien sentie, Denis tente présentement de réactiver une cible qui n'a pas donné signe de vie depuis plusieurs heures : «Jul, Soit vous êtes prisonnière d'un dragon, soit vous n'êtes pas très inspirée! ☺» Tout ce qui est sous-traité entre dès lors dans le cadre d'une économie et se retrouve à ce titre soumis à l'impératif d'efficacité. Pour faire grimper le «prix» de François, le Net Dating Assistant prend immédiatement les rênes de la conversation. Il faut être celui qui, installé dans une posture de domination quasi animale, fait réagir, pose le cadre de l'échange, titille. Afin d'inverser l'assignation dégradante de l'interface – tu n'es qu'une boîte de conserve –, le Don Juan de substitution dispose d'une arme fatale : le «neg». Cette technique de drague prend la forme d'un compliment dégradant, une sorte d'injonction contradictoire dont la fonction est de faire baisser la «valeur» sociale de l'interlocutrice tout en l'égarant psychiquement, au moyen d'un subtil mélange de douceur et de violence. Quelques jours plus tard, après avoir entamé un dialogue aimable avec Kissmon'Afro, Denis enchaîne rapidement en dégainant son premier «neg» : «Vous écrivez bien, donc vous n'êtes pas juste une belle idiote!!! Même si vous êtes très belle, et ça... ça ne se discute pas... Quel est votre vrai prénom?»

Pour justifier cette brutalité, Denis revendique l'idée selon laquelle les sites de rencontres sont des places de marché où s'exerce une nouvelle forme de trading. Le «neg» doit permettre de rendre plus rapidement accessible celle que l'on convoite, en lui faisant subir une douche froide égotiste. «Le prix d'une femme baisse également si elle a des besoins financiers, des enfants... Pour l'homme, mieux vaut ne pas être de trop petite taille», ajoute Denis. Dans cette vision du monde, François, 1,75 mètre, est un capital à faire fructifier. 16 juillet, texto de

Denis : «Bonjour, François. Comme vous êtes une des très rares personnes à avoir accepté l'idée d'une Africaine, j'ai tenté ma chance sur un très jeune profil, une fille ravissante (du moins à mon goût), Dana. Je pense qu'un rendez-vous est possible. Seule ombre au tableau, elle est déjà maman. Vous validez ? Elle a 26 ans.» Après avoir vu la photo du profil, François a rapidement accepté le principe d'un rendez-vous avec Dana et m'a transmis ses identifiants, ce qui me permet de suivre en direct les conversations menées par le Net Dating Assistant. J'ai le trouble sentiment d'être dans la posture du James Stewart de *Fenêtre sur cour* et je ne peux m'empêcher de trouver, dans cette forme modernisée de voyeurisme, une parfaite métaphore de la sous-traitance existentielle au carré. Inactif, agité par une profonde pulsion scopique qui met le monde à distance derrière un voile d'images, je serais donc en passe de me transformer en vampire spectaculaire, me nourrissant de lambeaux de vies vécues par d'autres. Je me dis aussi, pour éviter toute dramaturgie excessive, que l'existence est faite en partie du regret de toutes les choses auxquelles on n'a pas goûté, et qu'on peut trouver là, dans ce type d'expérience inédite mettant en jeu un tiers, une forme de consolation particulière.

Sotto Voce : «Bonjour, Dana! Tout d'abord, je voudrais vous remercier pour avoir accepté mon charme! Il se dégage une forte mélancolie poétique sur votre photo... c'est votre nature? ☺» Dana, immédiatement placée sur la défensive : «Bonjour LOL. ☺ Je sais pas si c'est ma nature.» Sotto Voce, partant à l'abordage : «Je dois avouer que cette photo m'a tout de suite séduit. Dana, c'est une chanteuse, ou ça vient de cette chanson connue "La tribu de Dana"?»

Se montrer à la fois courtois et déstabilisant, créer une bulle de complicité au moyen de l'humour, effectuer quelques recherches sur le pseudo de l'interlocutrice pour faire sentir qu'on a pensé à elle : les échanges menés par Denis répondent à une mécanique immuable. Ils témoignent également d'une anémie relationnelle généralisée où le moindre signe d'intérêt manifesté avec un semblant de sensibilité se transforme rapidement en harpon émotionnel. Pour Denis, jouer avec les sentiments d'autrui fait partie de la routine. Mais parfois, cette prouesse substitutive connaît certains ratés, comme le jour où Dana aborde la question des enfants.

Sotto Voce : «Je ne savais pas que vous étiez maman. Car, à vrai dire, j'aimerais aussi fonder une famille. Si avoir d'autres enfants dans une famille aimante est aussi un objectif pour vous, nous pouvons continuer. Dans le cas contraire… ce ne serait pas très grave et j'aurais quand même été ravi d'échanger avec vous.» Dana : «Oui, je compte refaire un autre enfant dans une relation stable et dans des conditions mieux, sinon j'oserai pas. Un enfant, c'est une responsabilité.» Sotto Voce : «Oui, une très grosse que je n'ai pas jusqu'ici osé prendre. Sans doute que je n'avais pas rencontré la bonne personne encore. ☺»

Petit hic : Sotto Voce se présente sur son profil comme père de famille, ce qui est apparemment sorti de l'esprit du Net Dating Assistant. Malgré cette légère bévue, les échanges se poursuivent dans un même registre de communion nataliste. On y retrouve en filigrane cette tentative consistant à établir, à distance, au moyen de simples messages dactylographiés et de questions en apparence anodines, la «valeur» réelle de son interlocuteur.

Dana : «Pourquoi tu es célibataire à ton âge, en fait? Tu l'es depuis quand?» Sotto Voce : «Non, je ne suis pas un horrible misogyne qui déteste les femmes! Ça s'est trouvé comme ça, un hasard, plus un deuxième, plus un troisième. Ça n'a jamais été un choix délibéré, quelque chose de voulu. J'ai plusieurs fois partagé ma vie, et toujours pour des raisons, parfois futiles, ça ne s'est pas fait. Les obligations professionnelles de l'un comme de l'autre ont beaucoup compté dans cet état de fait. Mais tu as raison, il est temps que ça cesse ! Et c'est bien mon intention en te rencontrant. Il faut un début à tout, non ? ☺ » Dana : « Oui oui. »

Durant la décennie écoulée, les besoins les plus fondamentaux de l'humanité ont connu une double métamorphose technologique et marchande. Il en va ainsi de l'amour, ou tout du moins de sa phase préliminaire, la rencontre, qui ne semble plus pouvoir s'envisager autrement que par le prisme de l'intermédiation. On est passé, pour ainsi dire, du petit artisanat individuel à une forme de taylorisme où des outils modernes, des prestataires de service qualifiés servent désormais de tremplin à notre avancée claudicante vers l'autre. Prenant son rôle très au sérieux, Denis ne se contente pas de décrocher des rendez-vous, mais s'est également octroyé un rôle de chaperon. Il livre à François des petites astuces capitales, comme le fait de porter « une chemise blanche pour séduire, parce que ça éclaire le visage par en dessous ». S'asseoir autour d'une table carrée plutôt que ronde favoriserait également le contact physique. Enfin, Denis s'érige en rempart personnel de son client contre les nombreuses tentatives d'arnaques que ce dernier aurait dû affronter s'il avait agi seul. Des demandes de prêts pour des situations familiales déchirantes mais bidon, du chantage à la sextape : le Net Dating Assistant, passé maître dans l'art de s'orienter au cœur de cette nouvelle jungle, détecte les pièges les plus insidieux en deux secondes. Le dossier Dana progressant à grands pas, Denis envoie un texto à François : «Bon... je me suis un peu avancé avec Dana... j'ai calé un truc mardi ou mercredi rue du Gros-Caillou... mais vous pouvez toujours avoir un empêchement, vous n'aviez pas votre agenda, resté au bureau...»

Cette nouvelle carte du Tendre délégataire a la particularité de dessiner une géographie sentimentale où la fameuse phase de cristallisation, celle des premiers instants, serait basée sur un mensonge, ou tout du moins une forme d'abus. Imaginez un homme dont le couple se serait bâti sur ce tour de passe-passe inaugural, embarrassé par le pesant secret du coup de foudre en réalité inspiré par un autre... Denis conseille d'ailleurs à ses clients, par commodité, de ne pas révéler les ressorts cachés de cette usurpation d'identité.

Réponse de François : «Bonsoir, Denis, désolé de vous répondre aussi tardivement j'ai eu un

200

gros problème avec mon iPhone et je prie d'ailleurs pour que ça ne recommence pas... Dana est très jolie et la conversation que vous avez avec elle est très sympa : je peux m'arranger pour mardi ou mercredi fin de journée et je connais le quartier du Gros-Caillou, cela me convient :)» Denis : «J'ai confirmé auprès de Dana pour demain ou mercredi. J'ai laissé votre 06 en lui demandant de vous envoyer un SMS et en lui disant que vous alliez la rappeler. Pour l'instant elle n'est pas en ligne.» François : «Bonsoir, Denis, contact est pris avec Dana, mais en relisant l'historique de la conversation sur Adopte, je crois que vous n'avez pas précisé que j'étais papa ? Je me trompe ? :)» Denis : «Gloups... oui, en effet... bon, elle est maman elle aussi. Ça ne devrait donc pas poser de problème. Mais c'est vrai que j'ai merdé sur ce coup-là.»

Dans un certain nombre de cas, la finalisation du rendez-vous échoue. Lorsque le client reprend la main pour régler les derniers détails par messagerie, il montre parfois trop d'empressement. Là où le Net Dating Assistant affichait une distance intrigante, témoignant de son «esprit d'abondance», le client se manifeste bien souvent avec l'appétit trop voyant du chacal affamé. Et la demoiselle s'évapore. Après plusieurs échanges de textos, François finit par rencontrer Dana, dans un café de Montparnasse. Ils parlent de musique africaine, de cinéma, du projet d'enfant mis un peu vite sur la table par le Net Dating Assistant pour accélérer l'obtention du rendez-vous. Un moment agréable, rendu possible, lui dit la demoiselle, par le climat de «respect» qui émanait des conversations cybernétiques, alors qu'elle ne reçoit le plus souvent que des propositions de copulation aussi directes que sommairement formulées. Dana est vendeuse, mannequin pour maillots de bain et vraiment très jolie. La différence d'âge ne la dérange pas. François, lui, transpire à grosses gouttes pour tenter de faire avancer la conversation. Néanmoins, il a réussi à se glisser avec succès dans son propre personnage, reprise de contrôle qui n'était pas forcément évidente. Il est également parvenu à faire comprendre à Dana qu'il était père de famille, rattrapant la boulette de Denis, sans que cela semble incongru à la demoiselle. En réalité, ce moment étrange relevait plus du numéro d'équilibriste identitaire que de la rencontre stricto sensu. Comme Cyrano écrivant à Roxane pour le compte de Christian, Denis poursuit quant à lui, avec un talent indéniable, son œuvre épistolaire dans le cœur asséché du capitalisme sexuel. Désireux de proposer rapidement à François les trois rendez-vous contractuels correspondant à sa «valeur» réelle, il lui envoie un nouveau texto : «À Dana s'est ajouté une très belle fille, Aminata. Si j'avais votre accord, un deuxième rendez-vous pourrait être posé dès maintenant. En attendant, je tergi-verse… ☺.»

CHAPITRE 15

Comment, à l'issue de ce long voyage délégataire, une marmotte en peluche est arrivée à Tokyo pour prendre son pied à ma place

Service testé : Unagi Travel

Six mois ont passé depuis ma période d'intense voyeurisme estival. Après avoir vécu ce début de relation amoureuse par procuration, m'être délecté devant mon écran de ce rapprochement simultané des cultures et des générations, je commence à me poser pas mal de questions. Déléguer ce qui nous ennuie est une chose mais le plus épuisant n'est-il pas, finalement, d'avoir à jouir de ce monde qui met au centre de tout le caractère impératif de notre désir ? Ne sommes-nous pas, de par l'épuisante stimulation dont nous faisons l'objet, devenus ces variables ayant pour mission de justifier l'ensemble d'un édifice de plus en plus automatisé qui, sans nous, n'aurait pas de sens ? Face à cette interrogation qui constitue une source de fatigue supplémentaire, je décide de passer à la phase ultime de la sous-traitance existentielle, laquelle consiste à déléguer non plus seulement les tâches désagréables mais aussi ma propre jouissance. Jusque-là, je goûtais à ce sentiment étrange d'orgasme par procuration de manière parcimonieuse, en regardant depuis mon canapé des émissions de voyage telles qu'«Échappées belles». Dans ce programme, on découvre un pays, une culture, une gastronomie au travers de l'expérience sensorielle de globe-trotters aux visages familiers, avatars itinérants qui semblent avoir décroché le meilleur job du monde. Le titre de l'émission, tout en ambiguïté polysémique, souligne d'ailleurs la réalité souterraine de cette forme particulière d'évasion proposée aux téléspectateurs : ouf, je l'ai «échappé belle», se dit-on, rassuré de voir que d'autres sont payés pour s'acquitter à notre place de cette assommante injonction à l'hédonisme.

Poussé par une inextinguible fureur de non-vivre, je décide d'aller encore plus loin dans cette entreprise de délégation du plaisir. J'ai entendu parler, il y a peu, d'un tour-opérateur japonais dont l'étonnant business est de faire voyager votre peluche préférée à votre place. N'ayant pas conservé le vieux Jeannot lapin couleur carotte de mon enfance, je profite des vacances de Noël dans les Pyrénées pour faire l'acquisition d'un nouvel objet transitionnel en poils synthétiques : une petite marmotte, avec un pelage incroyablement doux et des dents écartées qui font penser à Vanessa Paradis. Au moment de lui trouver un nom, je décide tout simplement de l'appeler «Marmotte». Mais mon plus jeune fils, dont la prononciation encore hésitante confine à l'expertise lacanienne, la renomme aussi instantanément «Ma'morte». Faut-il y chercher un sens quelconque? Essayer obstinément de ne pas vivre sa vie doit-il être envisagé comme une forme de deuil appliqué à sa propre existence? Autant de questions auxquelles je n'ai pas le loisir de répondre car, avant de déléguer mon plaisir, je dois encore fournir quelques efforts. Après avoir trouvé assez facilement sur internet les références de l'agence de voyage japonaise en question – Unagi Travel –, je m'attelle à rédiger, dans un anglais approximatif, une lettre qui accompagnera «Marmotte» dans son périple au pays du Soleil levant : «Dear Friends, Here is my "pet" called "Marmotte". He is coming from Pyrénées moutains in France. I want him to discover Tokyo. Please take care of him! Best regards. Nicolas.» Je reconnais que mon anglais n'a rien à envier à celui du commissaire Juve, dans *Fantômas*. «Him»? «Her»? «It»? Je ne sais d'ailleurs pas très bien quel pronom utiliser pour qualifier Marmotte. Mais bon, «it» étant peut-être un peu sec, j'opte finalement pour le pronom masculin «him». Et pour un Tokyo Tour à 50 euros, qui propose une visite des hauts lieux de la capitale japonaise. Après avoir effectué le paiement, j'enfourne Marmotte dans une enveloppe que je vais déposer à la poste du coin. Le tarif d'expédition est plus élevé que le prix de la peluche elle-même et je n'ose imaginer le bilan carbone catastrophique d'une telle entreprise délégataire.

À la suite de mon inscription sur le site d'Unagi Travel, je reçois dès le lendemain un e-mail de mon contact là-bas, la délicieuse Sonoe Azuma, qui me remercie d'avoir recours aux services de sa société. Sur l'échelle de Richter de la politesse, je constate que nous sommes dans une zone à forte sismicité. Quelques jours plus tard, un nouveau message en provenance de Tokyo vient me rassurer quant à l'efficacité de la poste française : «Cher Monsieur, Marmotte est bien arrivé aujourd'hui! Il est trop mignon! Je viens juste de le présenter sur Facebook et Twitter. Je vous recontacterai quand nous aurons fixé la date pour la visite de Tokyo. Nous allons prendre bien soin de Marmotte. Merci beaucoup, Bien à vous, Sonoe.» Je fonce alors sur Facebook voir ce qu'il en est des premiers comptes rendus de ce périple nippon. Marmotte est effectivement là-bas, de l'autre côté du globe, au pays de Godzilla, des samouraïs et du Shinkansen. Comme en atteste une photo, Marmotte vient d'être officiellement présenté à la communauté des autres peluches, assises en rang d'oignon sur un canapé. Il tient dans ses petites pattes un origami, qu'il faut peut-être interpréter comme un cadeau de bienvenue. À côté de lui, un hippopotame et une bande de poules en laine prennent la pose, dans un décor très «kawaii». Au-dessous de l'image qui a été abondamment likée, les internautes ont posté des commentaires sympathiques : «Bienvenue et amusez-vous bien», dit l'un d'entre eux. Apparemment, le fait que des peluches puissent voyager comme n'importe quel touriste participe d'une certaine normalité locale, là où chez nous, un tel comportement pourrait nous valoir un internement d'urgence à Sainte-Anne. C'est avec le plus absolu des naturels que je retrouve Marmotte, quelques jours plus tard, assis avec un thé fumant à la main, puis, sur un autre cliché, plongé dans la lecture d'un journal japonais. J'envoie un petit message à Sonoe : « Chère Sonoe Azuma, pouvez-vous s'il vous plaît me préciser si Marmotte a fait un bon voyage ? Je serais heureux d'avoir des détails sur son séjour au Japon. La visite de Tokyo est prévue pour quand ? Cordialement, Nicolas. »

Quelques jours plus tard, par une froide journée de janvier, je découvre Marmotte avec ses compagnons autour d'une soupe au tofu épicée et de boulettes de riz au poivre vert. Sur la photo de Facebook, c'est mon petit doudou expatrié qui touille consciencieusement la préparation, aux côtés d'un gros Snoopy affamé, d'un singe qui semble avoir été hypnotisé par David Copperfield et d'un ours polaire emmailloté dans un tricot blanc. Un pingouin est là aussi, juste derrière, en une mise en scène qui semble sursignifier l'amitié naissante entre ces deux jouets velus. Sentiment bientôt confirmé par la lecture du message de Sonoe : « Cher Nicolas, merci beaucoup pour votre message. Marmotte a fait un petit tour dehors pour découvrir Tokyo et profiter du Nouvel An japonais. Nous sommes encore en période de vacances ici. Marmotte s'est lié d'amitié avec un pingouin américain nommé Arty et avec d'autres copains japonais. Merci encore d'avoir permis à Marmotte

de voyager au Japon. Cordialement, Sonoe.»
Apparu ces dernières années sur les réseaux
sociaux et se matérialisant lui aussi au travers de
photos bien souvent retouchées, le «Moi cosmétique» de l'homme occidental n'est finalement pas
si éloigné de cette «vie» de peluche, qui semble
animée par un ensemble de fils cybernétiques invisibles. Image et magie fonctionnent ici de manière
consubstantielle, donnant forme à la vie imaginaire de ces jouets, devenus vecteurs de passions
adultes et d'affects transnationaux. La mise en
scène de cette existence particulière semble par
ailleurs répondre à des rites bien particuliers. Que
font-elles, ces peluches? Comment s'organise leur
quotidien? Si j'en crois les images, elles ont majoritairement tendance à s'agglutiner autour de plats
succulents, se frottent les unes aux autres avec une
grégarité leur tenant lieu d'organisation sociale et
ne cessent de mimer de manière ostentatoire les
comportements humains les plus élémentaires.
C'est parfait : alors que je suis censé prendre mon
pied pour continuer à faire tourner la grande
roue du système, il faut avouer que Marmotte
s'acquitte très bien de cette mission à ma place.
D'après les échanges réguliers que j'ai avec Sonoe,
l'amitié se renforce de jour en jour entre Marmotte

et Arty, le pingouin venu des États-Unis. Même l'arrivée soudaine de deux poupées Chucky bala-frées, pareilles à celles du célèbre film d'horreur, ne semble pas troubler la bonne ambiance de cette complicité franco-américaine inattendue. C'est plutôt marrant de voir les sentiments que Sonoe projette sur les peluches, construisant un scénario auquel je finis en partie par adhérer, du simple fait qu'il réactive habilement, sur le mode du jeu, quelque chose de l'enfance. Sonoe se livre même à d'étonnantes expertises psychologiques sur ses petits pensionnaires : «Je pense que c'est parce que Marmotte et Arty sont les deux seuls voyageurs étrangers qu'ils s'entendent si bien ! Arty semble avoir envie d'apprendre le français. J'espère que Marmotte pourra nous faire décou-vrir quelques mots !» Alors qu'outre-Atlantique, l'accession au pouvoir de Donald Trump fait peser les pires menaces sur la fraternité entre les peuples, cette relation naissante, bien qu'ima-ginaire, entre deux boules de poils synthétiques peut nous redonner espoir. Preuve de leur éton-nant pouvoir transitionnel, je finis d'ailleurs par recevoir un message des propriétaires d'Arty, qui vivent dans l'Ohio. Ils ont tenu à me faire savoir qu'ils adorent *Amélie Poulain*, *Cyrano de Bergerac* et qu'ils font beaucoup de cuisine dans le « style français ». Échange de bons procédés oblige, je leur apprends en retour que je suis récemment allé voir l'exposition de l'artiste américain Cy Twombly au Centre Pompidou. Quelques semaines plus tard, j'irai manger au Buffalo Grill et j'aurais pu mettre cette expérience gastronomique au crédit de mon américanophilie, dommage... En suivant sur les réseaux sociaux les pérégrinations de Marmotte, je découvre au bout de quelques semaines que son nom a évolué : il faut désormais l'appeler « Marmotte San ». Le phénomène d'assimilation est d'ailleurs si rapide que je retrouve Marmotte San occupé à faire la cuisine dans un petit restaurant japonais. Puis participant à une séance de « purification » au pavillon Temizuya, à coups d'ablutions rituelles. Sous des atours très proprets, ce voyage organisé commence à virer au vaudou asiatique. La perspective de voir Marmotte rentrer à la maison semble d'ailleurs s'éloigner de jour en jour. La raison avancée ? Sonoe me la détaille dans un e-mail embarrassé : « Bonjour, Nicolas, nous attendons un nouvel ami qui doit venir des États-Unis. J'ai envoyé un e-mail à son propriétaire et cela devrait prendre une semaine pour qu'il arrive jusqu'ici. Je suis désolée. Nous programmerons la visite de Tokyo aux alentours de fin janvier. Mais je promènerai Marmotte avant, pour qu'il puisse s'amuser un peu. Toutes nos excuses et merci de votre patience. Cordialement, Sonoe ». S'agirait-il en réalité d'une nouvelle forme de kidnapping ? Va-t-on bientôt me demander une rançon ? Cet éloignement s'accompagne chez moi d'un sentiment étrange : je ne sais pas vraiment pourquoi, mais je ne peux m'empêcher de penser que Marmotte a changé de sexe. Dès que je pense à la peluche, c'est immédiatement le pronom « elle » qui me vient désormais à l'esprit, ce qui est finalement assez logique puisque l'on dit « une » marmotte. D'une certaine manière, la période initiale durant laquelle j'envisageais Marmotte comme un prolongement de moi-même semble avoir pris fin, avec le temps et la distance. Nouveau message de Sonoe quelques jours plus tard : « Marmotte va bien. Il – enfin elle – a de nouveaux amis japonais qui lui racontent des histoires effrayantes. Marmotte et Arty sont vraiment devenus bons amis, car ils sont étrangers et ils aiment tous deux les endroits froids. Marmotte attend toujours ce nouvel ami qui doit arriver des États-Unis, peut-être dans le courant de la semaine. Je pense que la visite de Tokyo aura lieu lundi prochain. Merci. Cordialement. Sonoe. »

En lisant ces explications aussi fumeuses qu'une estampe japonaise, je commence à m'inquiéter : une peluche américaine qui n'en finit pas de ne jamais arriver, des amis japonais qui racontent des histoires terrifiantes, un pingouin de plus en plus entreprenant... Serais-je en train d'assister à distance aux préparatifs d'un film d'horreur nippon, plongée glaçante dans l'inconscient torturé d'une nurse pour peluches ? Mon projet initial consistant à déléguer tranquillement ma jouissance se transforme incontestablement en une forme de préoccupation lancinante et quasi paternelle. La virée touristique de Marmotte se déroule-t-elle encore dans un cadre acceptable ou est-elle littéralement hors de contrôle ? Dois-je activer l'Alerte Enlèvement ? Ce monde des peluches, dans lequel les humains ne sont plus que de lointains figurants, m'est si étranger que je n'arrive pas à me faire une idée précise de ce qui s'y joue.

Après de longues semaines d'attente, le moment du Tokyo Tour est enfin arrivé. Le soleil brille sur la capitale japonaise. Les cerisiers ne sont pas encore en fleurs, mais bourgeonnent énergiquement. Sur les réseaux sociaux, je vois Marmotte San emprunter le métro où, comme en atteste également une petite vidéo, la peluche ira jusqu'à effectuer de périlleuses acrobaties sous le regard amusé de ses congénères. Les lieux dans lesquels évolue la petite troupe ont pour particularité d'être extrêmement propres. Les humains n'y apparaissent qu'en arrière-plan, toujours flous, comme les présences fantomatiques d'un monde où les jouets seraient soudain passés au premier plan. Lorsqu'elle fait bouger ses petits pensionnaires, Sonoe prend d'ailleurs grand soin de ne jamais laisser apparaître ses mains. Durant cette journée, Marmotte San aura la chance de se rendre dans la plupart des hauts lieux touristiques de Tokyo que je ne verrai peut-être jamais. Accompagnant les photos, des émojis viennent matérialiser les émotions supposément ressenties par ces vacanciers non humains. J'en viens à me dire qu'il y a un frustrant revers à déléguer sa jouissance. Je suis là comme un pauvre malheureux devant mon ordinateur, essayant tant bien que mal de réaliser cette acrobatie mentale qui consiste à me dépayser sans bouger de chez moi, tout cela en regardant une peluche s'éclater à mes frais à l'autre bout du monde. On n'est pas loin de la torture psychologique absolue. Quelque temps après cette journée de visite, je reçois un nouveau message de Sonoe : «Cher Nicolas, je crois que Marmotte a été un peu surprise de manger du natto, mais c'est une bonne façon d'absorber cette nouvelle culture. Dans deux jours, aura lieu un festival appelé Setsubun et ça serait super si Marmotte pouvait y participer avant de rentrer à la maison. Je pense que Marmotte devrait être de retour au plus tard la semaine prochaine. Merci. Cordialement, Sonoe.» Je me retrouve alors dans l'étrange position d'accorder un nouveau délai à une peluche pour qu'elle puisse assister à un festival folklorique à l'autre bout du monde. Mais bon, vu le niveau de délire déjà atteint, après tout, pourquoi pas? Comme me l'apprend gentiment Wikipédia, Setsubun est un jour de fête nationale au Japon, célébrant l'arrivée du Printemps. Littéralement, Setsubun désigne les nœuds qui séparent les différentes sections du tronc de bambou. Par extension, il s'agit donc d'un moment charnière, comme l'est le passage d'une saison à une autre. Cette célébration s'accompagne d'un rituel particulier consistant à lancer par la fenêtre des graines de haricots grillées en criant «Dehors les démons! Dedans le bonheur!» Ce qui pourrait ressembler au refrain d'une chanson de Christophe Maé est en réalité une ancienne coutume visant à s'attirer de bonnes grâces domestiques pour toute une année. Quelques jours plus tard, à ma grande surprise, Sonoe me prévient que Marmotte s'apprête à quitter le Japon. Franchement, j'avais l'impression qu'elle allait finir là-bas, transformée en une sorte de néo-samouraï, à l'instar de Richard Chamberlain dans la série *Shogun,* déambulant entre des cloisons coulissantes avec des claquettes en bois et une grande tunique aux allures de robe de chambre. Sonoe poste alors un message émouvant sur Facebook, accompagné de photos où Marmotte est entourée de ses «amis», au moment de prendre congé : «Marmotte San, un grand merci d'avoir participé à notre Tokyo Tour. C'était super de t'avoir. Marmotte San était si mignonne et sympathique. Fais un bon voyage vers la France. À bientôt et bonne nuit.» J'en ai la gorge nouée.

Quelques jours plus tard, un colis en provenance du Japon arrive chez moi. La boîte est décorée des monuments emblématiques de Tokyo. J'ouvre. La peluche est là, immobile. Elle est partie depuis si longtemps que mon jeune fils a eu le temps de faire d'énormes progrès. Ce n'est donc plus «Ma'morte», mais bien «Marmotte!» qu'il accueille dans un éclat de voix, comme s'il retrouvait une vieille amie. Dans la boîte, il y a également des Kit Kat au chocolat vert, une photo de la peluche posant à côté d'un lampion rouge constellé d'inscriptions japonaises, un Cd-Rom avec les images du Tokyo Tour, et un petit message amical de Sonoe, hôtesse impeccable qui gère avec une grande délicatesse cette agence de voyages hors du commun. Les images contenues sur le disque m'ont permis de compléter cet étonnant voyage par procuration : Marmotte buvant de l'eau, Marmotte multipliant les expériences culinaires, Marmotte découvrant les hauts lieux touristiques de la capitale japonaise. Pour le reste, Marmotte a semblé, durant son séjour, entourée d'une affection qui allait bien au-delà du simple business et dont rêveraient sans doute de nombreux humains. À son retour, j'ai envoyé au Japon une photo de Marmotte avec les toits de Paris en toile de fond, cliché que Sonoe s'est empressée de publier sur le site de l'agence de voyages, pour signifier à tous que la petite peluche frenchie était arrivée à bon port. Mes enfants se battent désormais pour dormir avec ce doudou transgenre, dont la cote de popularité est montée en flèche. Quant à moi, je dois avouer que j'ai effectivement réussi à voyager par procuration au travers des nombreux échanges que ce dispositif a permis de faire naître. Alors, pour ce sommet d'hédonisme sous-traité : «Arigatô, Sonoe!»

REMERCIEMENTS

Pour des raisons diverses, mais avec une égale gratitude, je remercie, dans un complet désordre alphabétique qui ne doit pas être interprété comme un palmarès, François Jaskarzec, Brice Perrier, Éric Collier, Clara Georges, Vincent Cocquebert, Renée, Grégoire, Jean qui m'a fourni les plans du labyrinthe, Caroline Moricot, Thierry Pillon, l'équipe du Cetcopra, mon voisin du deuxième étage, Dana, et tous les sympathiques sous-traitants qui ont rendu, grâce à leur implication, ce livre possible.

TABLE DES MATIÈRES

www.allary-editions.fr

Ouvrage composé en Plantin
par Dominique Guillaumin, Paris

Cet ouvrage a été achevé d'imprimer en septembre 2017
dans les ateliers de Normandie Roto Impression s.a.s.
61250 Lonrai
N° d'impression : 1702434
Dépôt légal : septembre 2017
A00030/61

Imprimé en France